사랑하는데 외로워

사랑하는데 외로워

우울증과
동거하는
힘쎈 여자
현주씨

지현주 지음

비단숲

우울증은 다양한 증상들 유발하는 질환입니다. 환자에 따라 증상과 경과, 예후가 다양합니다. 우울증 환자들은 우선 일상에서 즐거움과 흥미를 상실합니다. 우울, 불안, 절망 등의 온갖 부정적인 감정을 느끼는 경우도 많습니다. 식욕이 없어서 식사를 거의 안 하기도 하고 반대로 스트레스를 풀기 위해 폭식을 하기도 합니다. 심한 무기력감으로 인하여 샤워를 하거나 옷을 갈아입는 것과 같이 다른 사람들이 쉽게 할 수 있는 일도 우울증 환자에게는 정말 큰 도전입니다. 인생이 무가치하고 허무하다고 느끼고 그냥 이대로 눈을 감고 영원히 잠들어버렸으면 좋겠다고 생각을 하거나 죽음에 대한 구체적인 계획을 세우는, 정신건강의학과 전문의가 가장 우려하는 정신적으로 위험한 상태에 놓인 분들을 진료실에서 보는 일들도 많습니다.

우울증을 만성적으로 앓고 계신 분들은 심하게 괴롭

고 고통스러움을 호소할 것 같은데 진료를 하다 보면 환자분들이 의외로 고통이나 불편감을 크게 호소하지 않는 경우가 많습니다. 만성 우울증 환자분들은 우울감을 너무 오랫동안 느껴서 나란 사람은 원래 이런 사람이었던 것 같다며, 우울하지 않은 상태가 대체 어떤 기분인지 상상이 안된다고 말합니다. 우울증이라는 병을 오래 앓게 되면 우울감, 무기력감이 원래 나의 성격인 것처럼 느껴지고 그로 인하여 나의 자존감을 깎는 온갖 부정적인 생각들을 진실인 것처럼 믿어버리게 됩니다. 부정적인 생각들은 우울증의 병으로 인한 인지 왜곡으로 발생한 것이라고 환자분들에게 설명하고 현재 상황을 최대한 객관적으로 바라보고 근거 없는 부정적인 생각은 멀리라고 말씀드리지만, 그럼에도 환자분들이 겪고 있는 우울증과의 싸움은 쉽지 않다는걸 알고 있습니다. 작가님이 책에서 우울감을 더 이상은 당연히 나의 일부분이라고 여기지 않고, 부정적인 생각을 들게 만드는 모든 것들을 우울씨라고 호칭하며 최대한 나와 분리해보려고 노력하고, 자신이 만든 체크리스트를 통해 현재 상태를 이성적으로 판단하며 마음의 안정을 찾으려고 하는 장면들을 보며 정신건강의학과 의사로서 우울증의 싸움에서 지지 않으려고 하는 노력과 의지가 정말 존경스러웠습니다.

　진료실에서 전부 듣지 못했던 제 환자들의 이야기를 이 책으로 읽게 되는 느낌이었습니다. 진료실에서 환자분의 이야기를 가능한 많은 시간을 할애해서 들어드리고 최대한 공감하려고 나름 노력한다고 했지만, 이 책을 읽으니 아직 제가 몰랐던 환자들의 생각과 모습들을 볼 수 있었습니다. 우울증을 앓고 계신 분들은 병의 증상뿐만 아니라 정신 질환을 바라보는 주변의 시선, 사회적인 편견과도 싸워야하기 때문에 결코 쉽지 않습니다. 병에 걸려서 아픈 것일 뿐인데도, 아픈 것이 마치 자신의 잘못이라고 느끼면서 끊임없이 자책을 하고 괴로워합니다. 지금도 우울증과 치열한 사투를 벌이고 있을 작가님의 이야기를 통해 많은 분들이 우울증에 대해서 이해를 하고 우울증 환자들이 눈치 보지 않고 마음 편안하게 병원에 방문해서 치료를 받을 수 있는 사회가 오기를 간절히 기원합니다.

　작가님이 책에서도 쓰신 꾸역 꾸역이라는 말, 개인적

으로 너무나 좋아하는 말입니다. 오늘도 꾸역 꾸역 우울증과 함께 일상 생활을 버티려고 노력하는 많은 분들을 응원합니다.

DF정신건강의학과의원 청담점 대표
정신건강의학과 전문의 오진승

어제 출판사와 계약했다. 바로 이 책이다. 인생 첫 번째 책. 기쁜 일이다. 계약소식에 가족들은 한껏 축하해 주었다. 행복감으로 충만해야 한다. 그런데 그러질 않는다.

요즘 인생 최고치의 우울증 약을 먹고 있다. 하루에 7가지다. 중증 우울증은 여러 가지 증상을 겪게 하는데 무감각도 그 중에 하나다. 우울증이 감정회로를 차단해 슬픔과 고통, 기쁨과 행복감을 되도록 느끼지 못하게 한다. 누구에게는 평생의 소원이 될 수도 있는 첫 책을 계약하며 행복감을 느끼지 못한다는 건 좀 서러운 일이다. 나도 기쁨을 느낄 수 있다면 좋을 텐데. 이리 된지 10년은 된 듯하다.

첫 우울증 진단은 2003년 스물여섯 살 때 받았다. 그러나 아마도 일찍부터 소아우울증을 겪었을 것으로 짐작한다. 화목하지 못한 가정, 인정에 대한 욕망, 사랑에 대한 갈망, 병으로 인한 고통, 마흔 다섯이란 나이에 시험관, 임신중독증으로 인한 임신종결, 산후와 육아우울증 까지. 살면서 겪을 수 있는 대부분의 우울증을 겪었다. 심할 땐 년도와 장소, 결혼사실도 기억하지 못했다. 그렇지만 방송작가로 열심히 살았고, 사랑도 치열하게 했으며, 목숨 걸고 쌍둥이도 낳았고, 지금은 이 글도 쓰고 있다. 20년째 중증 우울증과 동거하며 어느 땐 꾸역꾸역 어쩔 땐 씩씩하게 제법 잘 살고 있다.

이 글은 중증 우울증에 허덕이면서도 인생을 지랄 맞게 열심히 살아가는, 별스럽지만 평범한 어느 여자의 투병 일대기인 동시에, 고비 고비를 헤쳐나간 어떤 인간의 역경체험기인 동시에, 우울과 동거하고 있는 많은 사람들을 위한 실용응원서다.

Contents

Chapter 1

우울씨와의 동거를 시작하다

우울씨는 진화한다

그때 우울씨가 내게 찾아왔다.

"같이 우울해 줄게. 나는 너의 다정한 친구야."

실연의 슬픔에 허우적대던 나는 우울씨에게 문을 활짝 열었다.

일하다가 뛰쳐나가 화장실에서 울고,

극장에서 병맛 코미디 영화를 보면서도 울었다.

울면서 잠이 들었고 울면서 잠이 깼다.

Chapter 1

우울씨와의 동거를 시작하다

운명적 사랑을 바라시나요

2002년은 화려한 해였다. 월드컵으로 모두가 들떠있었다. 나는 그때 KBS에서 [생로병사의 비밀]이라는 프로그램을 준비하고 있었다. 원래는 6월 첫 주가 예정된 편성이었으나 월드컵 분위기 때문에 한 학기_6개월이나 밀렸다. 원고료는 프로그램마다 다른데 당시 [생로병사의 비밀] 서브작가는 편당 백만 원을 받았다. 내 방송은 11월이라 6개월이 남아있었고 원고료 정산까지 따지자면 9개월은 족히 지나야 원고료를 받을 것 같았다. 거의 무급이나 다름없는 상황이었음에도 불구하고 즐겁게 방송을 준비한 이유는 스물여섯, [영상기록 병원24시]의 막내작가에서 서브작가로 승진을 한 프로그램이었기 때문이었다. 그렇게 열심히 준비해 방송한 프로그램 중에는 뼈를 깎아 만든 우울증 프로그램도 있었다.

방송을 준비하는 데엔 돈 말고도 어려움이 많았다. 모든 방송사가 월드컵 프로그램을 뱉어내던 시기, 아직 방송일자가 한참 남은 [생로병사의 비밀]은 사무실조차 없었다. 당시 KBS는 [차마고도]제작진의 전작, [도자기 루트]를 야심차게 준비하고 있었다. 몇 년이 걸리는 대형 프로그램인데 마침 [생로병사의 비밀]은 [도자기 루트]와 같은 책임프로듀서 아래 배정되었다. 그 덕에 조용한 프로그램을 만드는 사무실 한 쪽을 조금 축낼 수 있었다.

지금은 쉽게 시청하는 프로그램이 되었지만 당시 [생로병사의 비밀]은 꽤 어려운 의학프로그램이었다. 일본과 미국의 의료진을 기본으로 섭외해야 했고 전문용어로 가득한, 게다가 영어로 된 의학논문조사도 당연히 해야 했다. 어찌할까 갸우뚱, 마침 사무실에는 미국 유학생이 들락거리며 [도자기 루트]의 자료조사를 돕고 있었다. 그는 도자기를 좋아하는 스물 세 살의 재일교포 청년이었다. 아 잘됐다! 슬금슬금 그에게 섭외도, 통화도 부탁을 했다. 다음에 정말 맛있는 걸 사겠다는 허풍을 떨며. 스물여섯 갓 서브작가가 된 촌뜨기가 세계를 여행 다닌 그에게 뭘 소개한다고.

어느 밤, 사무실이 고요했다. 모두가 퇴근하고 나만 홀로 앉아있는 줄 알았는데 웬 걸, 그가 들어왔다. 그는 내게 물었다. "맛있는 거 언제 사주실 건가요?" 그때는 금요일 밤이었다. 이것은 데이트인가, 아니면 자유분방한 국가에서 유학하는 이의 일반적 질문인가. 가늠이 서지 않았다. "언제가 좋으세요?" 그가 바로 답했다. "내일은 어떠세요." 지금 돌아보면 운명적 만남을 느끼게 한 건 그의 다음 질문이었다. "아침잠이 많으신 편이신가요?" 아, 이 자식 봐라. 선수구나. 당시는 발목양말도 베컴 머리도 유행하기 전이었는데 미국물 먹은 그는 둘 다 하고 다녔다. "아침잠 많아요." "그럼 오후 2시에 뵈어요. 신촌 현대백화점 앞이요." 갑작스레 약속이 잡혔다. 그 약속이 이 모든 결과를 만들어내리라고는 그

땐 전혀 몰랐다.

가슴이 두근거리기 시작했다. 밤새 열심히 자료조사를 했다. 그가 만족할만한 식당이 뭐가 있을까. 서너 시간의 조사 후 찾아냈다. 얌전한 단독에서 파는 갈비찜. 메뉴를 고르고도 잠을 설쳤다. 신촌에는 약속시간보다 10분쯤 일찍 도착했다. 그러나 그는 2시 20분이 돼서야 나타났다. 낮잠을 잤다며 뛰어온 그의 셔츠는 흠뻑 젖어있었다. 데이트인 줄 알았는데 아닌가보군. 대충 밥이나 먹고 가자 생각했다. 그러나 그 다음이 운명을 예고했다.

신촌에는 마땅한 카페가 없었다. 그는 홍대로 가자고 했다. 한국 버스 타는 법도 제대로 모르는 그와 홍대를 갔더니 야외 테이블이 있는 카페를 소개했다. 역시 선수구나. 카페는 훌륭했다. 서비스로 와인 셔벗이 나왔다. 그럭저럭 평범한 이야기를 나누며 파장 분위기가 돌 때쯤 누군가 찾아왔다. 예고 없는 소나기였다. 가을엔 좀처럼 볼 수 없는 세찬 비였다. 우리는 자리를 안으로 바꾸고 비가 멈출 때 까지만 머물다 가기로 했다. 그러나 비는 그치지 않았다. 세 시간 동안 바닥을 뚫을 기세로 내렸다. 그 사이 우리는 사랑에 빠져버렸다. 무슨 이야기를 나누었는지도 기억이 안 난다. 다만 시큼했던 와인 셔벗의 맛과 세찬 빗소리만 기억에 남아있다.

카페에서 나오니 이미 저녁이었다. 나는 못내 아쉬워 한국에서 해보고 싶은 다섯 가지를 대보라고 했다. 그리고 그 중의 하나를 하기로 했다. 남산타워. 남산타워에 가보고 싶어요. 우리는 남산타워에서 레스토랑이 문을 닫을 때 까지 머물렀고 다시 신촌으로 돌아와 주점이 역시 문을 닫을 때 까지 머물렀다. 그 후엔 포장마차에 가서 먹지도 않을 우동 한 그릇에 소주 한 병을 시켜놓고 아침 7시까지 앉아있었다. 열일곱 시간의 대화는 한 번도 멈추지 않았다.

일요일에도 그가 보고 싶었다. 참고 월요일에 출근을 했다. 말을 건네고 싶은 마음을 억눌렀다. 어둠이 내리고 그를 불러냈다. "나 좋아하죠?" "네......" "그럼 어떻게 할 거에요?" "사귀어야죠." "그럼, 내일 봐요" 집으로 돌아오는 길, 두 발이 푹신하고 향기로운 꽃잎 위를 걷고 있었다.

우울씨와의 첫 만남

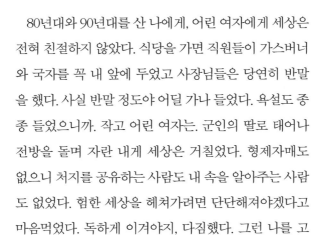

　80년대와 90년대를 산 나에게, 어린 여자에게 세상은
전혀 친절하지 않았다. 식당을 가면 직원들이 가스버너
와 국자를 꼭 내 앞에 두었고 사장님들은 당연히 반말
을 했다. 사실 반말 정도야 어딜 가나 들었다. 욕설도 종
종 들었으니까. 작고 어린 여자는, 군인의 딸로 태어나
전방을 돌며 자란 내게 세상은 거칠었다. 형제자매도
없으니 처지를 공유하는 사람도 내 속을 알아주는 사람
도 없었다. 험한 세상을 헤쳐가려면 단단해져야겠다고
마음먹었다. 독하게 이겨야지, 다짐했다. 그런 나를 고

작 스물 세 살의 어린 남자가 온통 흔들어놓았다.

　그는 나긋하고 얌전한 사람이었다. 나를 얕잡아보지 않았고 존중해주었다. 그를 통해 매너를 처음 겪어보았고 예의도 마찬가지였다. 택시 기사에게 "기사님 합정동까지 부탁드립니다. 감사합니다." 라고 말하는 사람은 그 시대에 처음 보았다. 나이든 KBS 피디들이 그를 좋아했고, 짐을 든 사람은 그의 도움에 모두 감사해했다. 구내식당에서 밥을 먹던 어느 날, 그가 식판을 들고 지나갔다. 그를 발견한 순간 내 귀에는 그가 가장 좋아하는 노래, 오아시스의 Don't Look Back In Anger가 웅장하게 울려 퍼졌다. 고막이 터질 거 같았다. 그가 지나가고 옆 작가에게 물었다. 팝송이 다 나오네. 원래 아무것도 안틀어주잖아. 응? 아무 소리도 안 들리는데? 노래는 환청이었다. 환청임을 깨달은 다음에도 음악은 멈추지 않았다. 그렇게 나를 온통 흔들어놓고 그는 미국으로 돌아갔다. 겨우 5개월의 연애 후에.

　그를 만날 수 있는 방법은 없었다. 당시는 2001년 911테러가 일어난 지 얼마 지나지 않아 세상이 삼엄했다. 자칫 미국 비자가 끊기면 재입국이 금지되는 상황.

게다가 수입이 별로 없던 나도 미국비자를 받을 수 없었다. 우리가 다시 만날 가능성은 제로에 가까웠다. 우리는 미래를 예측하고 이내 헤어졌다.

그때 우울씨가 내게 찾아왔다. "같이 우울해 줄게. 나는 너의 다정한 친구야." 실연의 슬픔에 허우적대던 나는 우울씨에게 문을 활짝 열었다. 일하다가 뛰쳐나가 화장실에서 울고, 극장에서 병맛 코미디 영화를 보면서도 울었다. 울면서 잠이 들었고 울면서 잠이 깼다. 플라스틱 유선전화를 벽에 던져 깨뜨리고 밥도 안 먹었다. 몇 개월을 그랬는지 모르겠다. 몸이 점점 말라가고 있었다. 어느 날 출근을 하는데 청원경찰이 내게 한 마디 했다. "출입증 어딨어요!" 집에 두고 온 KBS 출입증이 떠올랐다. 사과는 못할망정 "집에 있어요!"라고 맞받아쳤다. 우울씨가 말했다. "저 사람까지 널 가만두지 않는구나. 세상은 이 모양이야. 늘, 너에게." 그 순간 깨달았다. 이거 뭔가 잘못 되어가고 있다. 그날 바로 택시를 잡아타고 회사에서 가장 가까운 정신과로 달려갔다. 그때가 나의 공식적인 첫 우울증 진단이었다.

급히 찾아간 신촌오거리의 의사는 내게 우울증이 심

하지는 않다고 했다. 당시 그 병원은 상담도 같이 진행했는데 정신과의 상담은 영화에서처럼 낭만적이지 않았다. 소파에서 누워 감정을 드러내는 장면과는 달랐다. 여느 병원과 다를 것 없는 모양새의 진료실에서 정해진 시간 동안 불쑥 내 이야기를 꺼내야했다. 의사는 크게 주제를 정하지 않고 내 이야기를 쫓아오며 필요한 내용을 짚어주었는데 대화를 리드해야한다는 점이 부담으로 다가왔다. 약을 먹는다고 해서 퇴근하고 여는 현관문이 덜 공허하지도 않았다. 반년쯤 약을 먹다가 일이 바쁘다는 핑계로 치료를 그만두었다. 병원 갈 새도 없이 일이 바쁜 건 사실이었다. 하지만 치료를 그만두어서는 안됐다. 우울증은 재발한다. 모든 병이 그렇듯 초기에 적절한 치료를 받아야 한다. 국민들의 건강을 찾아준다며 [생로병사의 비밀]을 만들면서도 내 건강에는 극도로 무심했다. 젊음의 힘을 믿었던 것 같기도 하다.

다시 치료를 받기 시작한 건 2019년, 16년 뒤다. 그 사이 우울증은 깊어졌고 때로는 년도를, 때로는 장소를, 때로는 결혼사실도 잊었다. 나를 바라보는 남편의 눈동자가 날이 갈수록 깊어졌다. 남편은 죄책감을 가지고 있었다. 2003년, 5개월의 사랑 후에 나를 버린 것에 대해서. 내가 불쑥 찾아가 청혼하도록 한 것에 대해서. 10년간의 내 고독에 대해서. 나를 홀로 둔 모든 시간에 대해서.

9년의 기다림 사이. 계절성 우울증

   낮 동안은 나름 즐겁게 살았다. 우울씨는 나를 어두운 시간에만 만나러 왔다. 해가 뜬 시간은 일에 치여 우울씨와 대화할 여유가 없었다. 일을 끝내고 여명이 깔리기 전 택시에 타면 은근슬쩍 우울씨는 옆 좌석에 앉았다. 새벽이라 라디오까지 조용한 곡을 배경음악으로 흘려주었고 황색의 가로등은 계절을 가리지 않고 늘 쓸쓸했다. 그리움에 지는 밤이면 전화를 걸었다. 그는 당연히 받지 않았다. 그래도 좋았다. 신호가 가는 동안, 핸드폰의 진동을 그가 느낄 동안 세상의 반대편에 있는 그와 연결된 느낌을 받았다.

치열함의 대가로 서브작가에서 메인작가가 되었다. 나는 여의도에서, 그는 미국을 벗어나 일본에서 일하고 있었다. 서로가 너무 보고 싶을 때면 일이년에 한번쯤 이메일을 보냈다. 가을이 깊다. 잘 지내는지 모르겠다, 이런 짧은 내용이었다. 둘 다 연애를 하려고 무진 애를 썼으나 잘되지 못했다. 다시 만나볼까 시도도 했지만 그는 내가 일을 얼마나 사랑하는지 잘 알고 있었고 내게 쉽게 일본으로 건너와 살자는 말을 하지 못했다.

쓸쓸함은 9월이 되면 극대화됐다. 지금껏 앓고 있는 극심한 계절성 우울증은 내 실연에서 비롯되었다. 사람 마음 하나 가지기가 이렇게 어렵구나. 내 힘으로 안되는 일이 세상에 있구나. 체념과 그리움에서 비롯되었다. 봄과 여름엔 그럭저럭 잘 살아가다가 계절을 바꾸는 가을비가 내리는 날이면 우울씨는 어김없이 문밖에서 기다렸다. 가을과 겨울은 고통스러운 계절이었다. 그를 만났던 아름다운 기억이 모두 실연의 괴로움으로 바뀌었다. 가을과 겨울을 상징하는 모든 바람과 낙엽과 눈과 온기가 바늘처럼 심장을 찔렀다. 병원을 찾아야

했지만 사실 그때까지도 스스로를 우울증 환자라고 여기지 않았다. 나는 우울씨를 가벼이 보았다. 우울증진단과 6개월의 치료 경력과 선명한 증상이 있음에도 불구하고 이 정도는 우울감이지, 누구나 다 겪는 삶의 외로움이야, 라고 치부했다.

우리 둘 사이에 남은 것이라고는 막연한 약속 하나였다. 헤어지기 전 어느 겨울밤의 데이트. 호가든 맥주를 앞에 두고 내가 말했다. 혹시 우리가 헤어지면 내가 서른다섯 살이 되는 해, 다시 남산타워 앞에서 만나요.

그와 헤어졌음에도 불구하고 정신을 놓지 않고 버텼던 건 그 막연한 약속 덕분이었다. 하지만 4년, 6년, 8년, 해가 갈수록 불안했다. 그가 나타나지 않으면 어떡하지. 그가 남산타워에 안 나타나서 밤까지 펑펑 울다 절망하면 어떡하지. 우울씨가 대답했다. "안 나타날 확률이 더 높지 않아? 그가 왜 한국에 와서 너를 남산타워에서 기다리겠어. 그럴 거라면 헤어지지도 않았겠지. 현실을 직시해."

불안을 참지 못하고 서른넷의 가을, 불쑥 도쿄로 날아갔다. "어디예요?" 내가 물었다. "일본에 왔군요." 그가 대답했다. 우리는 도쿄 시나가와의 시계탑 아래에서 재회했다. 그는 나를 꼭 안아주었다. 2002년처럼 다시 내가 물었다. "이제 결혼해야죠." 그가 대답했다. "그래 야죠." 우리는 이듬해 초여름으로 결혼날짜를 잡았다. 남산타워의 기다림은 끝났다. 결혼 준비도 순조로웠다. 그러나 2011년 3월 결혼식을 석 달 앞두고 후쿠시마 원전 사고가 터졌다.

　사람들은 결혼을 말렸다. 방사능이 무서울 정도로 바다에 퍼져나가고 있었다. 외신기자들만 더러 남을 뿐 상당수의 외국인이 일본을 빠져나갔다. 공항이 마비되었음은 물론이었다. 후쿠시마에 직접 다녀온 취재진이나 뉴스로 시시각각의 상황을 지켜보는 지인들은 결혼을 연기해야 한다고 설득했다. 하지만 나는 후쿠시마 원전 정도의 걱정을 할 여유가 없었다. 너무 오래 기다렸고 삶에서 일어나는 일은 다 이유가 있다고 믿었다. 이런 시기일수록 그와 같이 있어야 한다. 그래야 마땅하다. 이 당연한 이유로 갈등 없이 도쿄로 날아갔다. 온전한 행복을 꿈꾸며. 완벽한 결혼생활을 꿈꾸며.

[생로병사의 비밀] 작가, 환자가 되다

도쿄는 신기한 것 투성이었다. 하루가, 계절이, 일상이, 낯설지만 들뜬 시작이었다. 모든 광경이 새로웠다. 전철 레일 옆에 붉은 잉어가 자라는 연못이 있는가하면 뜬금없이 도심 한가운데 마련된 낚시터에서 아저씨들은 야외 낚시를 즐겼다. 슈퍼에는 이탈리아부터 중동에 이르기까지 온갖 나라의 식재료가 진열돼 있었다. 장애인이 꽤 자유롭게 돌아다녔고 늘 미안해요, 스미마센을 달고 사는 데에 익숙한, 조신한 사회였다.

일본으로 건너 온지 10개월. 한 시간도 하루도 쉬지 않았다. 일본 문화를 익혀야 한다, 시댁과 잘 지내야한다, 빨리 일본어를 배워야 한다, 등등의 부담감으로 친구 한 명 사귀지 않았다. 아침 7시부터 새벽 2시 까지 집안일을 하고 어학원에 다녀오고 시어머니를 만나고 일본어 공부를 했다. 아이는 아직 안중에 없었다. 적응이 먼저였다. 시간을 아꼈고 돈을 아꼈다. 남편에게 30만 원만 생활비로 달라고 했다. 그걸로 밥을 하고 전철을 탔다. 신혼 때 바짝 벌자고 남편을 설득해 월세가 낮은 교외로 이사도 갔다. 오로지 일본 사람으로 가득한 조용한 주택가의 3층집, 분홍색 단독주택이 우리의 두 번째 신혼집이었다. 완벽했다. 그러나 그 집은 곧 나의 무덤이 되었다.

단독주택은 낭만적인 공간이 아니었다. 이삿짐을 정리하느라 3층 계단을 오르내리다 근육통을 앓았다. 꽤 심한 정도여서 어학원도 출석하지 못했다. 오늘은 동사변형을 배우는데, 학원에 무조건 가야하는데 도통 몸을 일으킬 수가 없었다. 이게 무슨 일일까. 침대에 누워 앓으며 자료조사를 했다. 대략 짚이는 병명을 찾아 남편에게 전문병원을 예약시켰다. 그냥 몸살이면 좋을 텐데.

일본에 간지 10개월. 하나미(일본 벚꽃축제)가 한창인 4월 초. 봄의 기운으로 들뜬 인파가 시내에 가득했다. 젊은이들이 활기차게 오가는 이케부쿠로의 후미진 곳에 이케부쿠로 내과가 있었다. 병원은 좁았고 조명은 어두웠다. 의사는 표정을 감추고 내 병이 이미 중증이라고 했다. 아이를 가질 수 없을 지도 모른다 했다. 대체 무슨 병입니까. 섬유근통증입니다. 병명은 별 것 아닌 것처럼 느껴졌다. 근육통이 있다는 건가? 병명이 주는 느낌은 참 가벼웠다.

그러나 대기실에는 휠체어를 타고 동공이 풀린 채 침만 흘리는 환자들이 있었다. 대부분의 환자는 기운이 없어 앉아있기도 힘들어했다. 저 사람이 나의 미래일까 싶었지만 곧 그 생각은 털어버렸다. 병명을 알아냈으니 치료를 받으면 된다. 병명을 모르고 이 병원 저 병원 전전하며 악화되는 사례가 많은데 이 정도면 빨리 병명을 찾은 거라고 남편을 위로했다. 나의 과로가, 나의 열심이 문제라면 쉬면된다. 늘 그랬든 삶은 헤쳐 나가면 된다.

내심, 안심이 먼저였다. 이 모든 스트레스를 받지 않아도 됨으로. 일단 자유다, 해방이다, 그 생각부터 들었다. 그날로 시댁과 차단하고 어학원을 가지 않았다. 몇 달, 조금 긴 휴식을 갖자고 생각했다. 얕디얕은 생각이었다. 치료가 시작되면 몸은 여유를 주지 않는다. 약물 치료에 들어가며 병세는 걷잡을 수 없이 악화되었다. 하루 네 번 50여알의 약을 먹었고 온몸을 파스로 도배를 했다. 피부가 짓물러 솔기가 아파 속옷도 뒤집어 입었다. 아무도 없는 집, 작은 방만한 거실에서 약기운이 올라와 통증이 줄어들면 천장을 보았다. 작은 창으로 난 하늘도 보았다. 지금 돌아보면 잘 몰라서 쉽게 받아들일 수 있었는지도 모르겠다.

네타끼리 – 누운뱅이

　일본말에 네타키리라는 단어가 있다. 우리말로 하면 누운뱅이 정도의 느낌이다. 약을 먹기 시작한지 얼마지나지 않아 통증은 날로 거세졌다. 담석으로 담낭제거를 한 적이 있는데 비슷한 정도였다. 대상포진보다는 훨씬 강했다. 통증의 원인은 딱히 없다. 몸에는 이상이 없는데 뇌가 스스로 이상반응을 느껴 통증신호를 보낸다. 증상은 수십 가지로 나타난다. 교감신경이 활성화되어 모든 장기가 과민하게 반응한다. 햇볕에 눈과 머리가 아프고 일상적인 소리를 참기가 어렵다. 입덧과 같은 증상이 나타나 식사도 괴롭다. 머리부터 발끝까지 다양한 증상을 앓았다. 소변을 보기 전에도, 하나님, 오줌 누게 해주십시오, 하고 변기에 앉았다. 요의는 느끼는데 소변은 볼 수가 없으니 밤에는 변기에 앉아서 한 시간씩 졸았다. 일어나 잠이 드는 하루의 모든 과정에 기도를 했다.

스스로가 인간으로 느껴지지 않는 날이 많았다. 남편이 시켜주는 샤워조차 힘이 들었다. 2주에 한번 겨우 씻었다. 벗어놓은 양말과 속옷은 밀랍이라도 바른 듯 내 몸의 모양 그대도 굳어있었다. 샤워 한 번 하고 하면 사오일은 통증으로 때굴때굴 굴렀다. 씻고 먹고 배변하는 기본적인 행위에 제약이 생기니 이거 동물이 아닌가. 나는 지금 동물처럼 살고 있지 않은가, 싶었다. 그렇지만 가끔, 몸에도 볕이 드는 날이 있었다. 그런 날엔 현관 밖에 쪼그리고 앉아 햇볕을 쪼였다. 일본의 해는 유독 따갑고, 눈이 부셨다. 낯설고 외로운 땅에서, 부신 눈을 감고 생각했다. 인생은 참 느닷없구나. 하루아침에 아무 것도 계획할 수 없는, 미래가 사라진 사람이 되다니. 달라지지 않은 것이 없었다. 열정 넘치는 방송작가에서 아파 누운 문맹의 외국인 여자가 되었다.

　나의 병은 좀 특수하다 볼 수 있을 정도로 심한 경우다. 하지만 생로병사는 우리 모두에게 일어나는 일이다. 그래서 우리 모두에게는 네타끼리의 시간이 있다. 실연의 아픔이든 실직의 암담함이 든 질병의 고통이든 가까운 이의 죽음이든 무겁고 잠잠한 순간은 원래 삶을 겹겹이 둘러싸고 있다. 불현 듯 마주할 뿐이다. 우울씨는 누구에게든 찾아갈 수 있다. 그리고 우울씨는 다양한 모습을 가지고 있다. 우울, 슬픔, 분노, 무기력, 불안……. 우울씨는 그렇게 잠시 숨을 고르다 다른 얼굴의 친구를 데려왔다.

신이 나를 헤아린다

대중교통을 잘 이용하지 못한다. 그래서 병원에 가는 날이면 남편이 렌터카를 빌린다. 얼마 전부터 남편이 차를 한대 사자고 졸랐다. 나는 반대했다. 진단 받은 지 3개월이 지났을 뿐이다. 차를 산다는 건 나의 거동이 불가능해질 거라는 걸 인정하는 것만 같았다. 내심은 숨기고 남편에게 아직은 돈을 모을 때라고 대답했다. 그러자 남편은 렌터카를 한 달 2회 이용할 경우 사는 비용과 똑같다는 등 브리핑까지 해가며 연비와 보험료 등을 빼곡히 계산해 놓은 엑셀 차트까지 내게 들이밀었다. 두어 달 반대를 하다 중간치로 합의를 보았다. 남편은 새 차를 포기하고 나는 새 차를 안사겠다는 걸 포기했다. 우리는 그래서 중고차를 알아보기로 결정했다.

다음 날, 회사에 있는 남편에게 전화가 왔다. 차가 생겼다는 것이다. 회사사람에게 차를 알아보는 중이라고 말하자, 어제 자신이 쓰던 차를 중고차시장에 내놨다며 그걸 가져다 쓰라는 얘기였다. 그 얘기를 듣고 남편은 만원을 주겠다고 농담을 건넸다.

차를 달라고 기도한 적도 없는데 사기로 결정하자마자 만 원짜리 차가 하늘에서 뚝 떨어졌다. 보시기에 필요하구나, 싶으셨나보다. 이 부분에서 감동 먹었다. 기도도 안했는데.

십년 된 오래된 차라 조금 걱정을 했는데 남편은 일본차는 고장이 잘 안 나서 걱정 안 해도 된다고 안심을 시켰다. 십년이 넘은 승용차지만 이삼 년 쓰다 중고차시장에 내놔도 잘 팔린다고 했다. 그래, 주시는 데 쓸 만한 걸주시겠지, 형편없는 걸 주시겠나. 괜한 걱정은 하지 않기로 했다.

요즘 하루 식사로 포도 한 송이를 먹는다. 그런데 며

칠 전 남편은 퇴근이 늦어 장을 보지 못하고 집으로 돌아왔다. 이른 아침에는 서둘러 출근을 했다. 오늘 뭘 먹을 수 있을까. 집에 포도가 없는데 걱정이 들었다. 그 순간 문자가 왔다. 엄마뻘이 되는 일본 교회의 아주머니였다. 지나는 길에 포도를 샀는데 벨을 누르면 방해가 될 것 같아 현관에 걸어두고 왔으니 내려올 수 있을 때 내려와 가지고 올라가라는 내용이었다.

이런 적이 한두 번이 아니다. 어느 지친 밤, 야근으로 늦은 남편은 저녁을 챙길 힘도 없었다. 그때도 교회 친구가 현관문 앞에 일본 가정식 저녁밥을 놓고 갔다. 솜씨가 좋은 음식이었다. 집이 춥다고 일본살이 카페에 글을 올렸더니 익명의 누군가가 가스히터를 선물로 보내주었다. 집이 뜨끈뜨끈해졌다. 이러니 불평을 하려해도 할 수가 없다. 내가 뭐라고 불평을 하나.

필요에 따라 채워주심에 감사한다. 내 모습을 이리저리 살피시고 쟤네들, 차 한대 있음 편할 텐데…… 라고 생각하셨던 신의 마음을 읽는다. 내가 고집을 꺾을 때까지 기다리셨다가 남편과 합의에 이르기 까지 기다리셨다. 나의 결정을 존중해 주셨다. 여기 있다. 네 차. 이

거 타고 다니며 편하게 병원 다녀라, 하고 주셨다.

　내 몸의 불편함을, 남편의 고됨을 신은 살펴보고 계신다. 이런 데도 나는 혼자인 줄 안다. 내 힘으로 오늘을 사는 줄 안다. 착각이다. 태어남부터 여태껏 늘 대가 없이 받아왔다. 어쩌면 고통은 삶의 차비 같은 건지도 모르겠다.

-2012년 7월 4일

즐거워야 하는 병, 섬유근통증

두 달에 한 번씩 간수치를 확인한다. 복용하는 약물이 상당해서 간 손상이 우려되기 때문이다. 부작용이 센 약은 어지럼증이 심해 기절까지 하게 만든다. 어제 옥상에서 잠시 바람을 쐬고 있을 때 서 있다가 그대로 고꾸라졌다. 다행히 남편의 발등에 머리가 떨어져 다치지는 않았다. 시멘트 바닥으로 머리를 박았다면 119를 불러야했을 거다. 이렇게 아슬아슬하게 늘 최악의 상황을 비켜간다.

섬유근통증도 그렇다. 밥을 목구멍으로 넘기고 소화

를 시키고 장에서 수분을 흡수해 세상 밖으로 변을 배출하는 전 과정에 기도가 필요하다. 과장하자면, 숨을 들이쉬고 내쉬는 사이 일어나는 몸의 모든 현상에 차질이 없기를 바라야하는 병이다. 피부가 약해져서 결혼반지를 낄 수 없는 건 정말 슬픈 일이다. 다행인 건 온몸의 통증과 별별 질환들을 다 가져옴에도 불구하고 병은 몸을 상하게 하지 않는다. 아프다고 착각만 하게 할 뿐 실제로 장기와 근육이 다치지는 않는다. 그 점만으로도 신에게 감사하다. 양치질 한 번에 하루를 드러누워 있어야 하지만 내가 앓는 질병이 통증만큼 몸을 상하게 한다면 나는 죽어도 마땅하다.

약물 치료 외에, 약물치료만큼 중요한 자가 치료가 있다. 1. 무조건 잘 자야한다.(깨거나 꿈을 꾸면 통증이 심해진다) 2. 목욕을 해서 몸을 따뜻하게 하고(몸이 차면 통증수위도 높아진다) 3. 무엇보다 중요한 건 스트레스를 받지 않아야 한다.

처음 진단을 받을 때, 의사는 남편에게 주의를 시켰다. "부부싸움은 안됩니다." 화가 나면 안 되는 병. 누군가를 미워해서도 안 되는 병, 현재에 만족하고 감사해

하는 병. 싸우거나 울거나 하면 다음 날, 두 배 세배 네 배는 더 아프다. 나는 감사하는 쪽으로 노선을 정했고 거기에 맞춰서 살고 있다. 일상에서 감사할 거리와 아름다운 풍경을 발견하려 노력하고 있다. 병을 빨리 발견한 것만으로도 얼마나 감사한 일인가!

난치병 연구가 일찌감치 시작된 일본 기준으로도 섬유근통증은 진단받기까지 평균 4년, 일상생활이 가능해지기까지 3년이 더 걸린다. 더 악화될 수도 있고 죽을 때까지 낫지 않을 수도 있다. 병원가면 휠체어를 탄 사람, 지팡이를 짚고 온 사람, 각양각색의 사람들이 의자에 간신히 앉아 자신의 순번을 기다린다. 대기실에는 수많은 나의 과거와 현재, 미래가 있다. 이 병이 어디까지 진행될지는 모르겠지만, 분명히, 정상적인 활동을 대부분 할 수 있을 정도로 나을 거라고 나는 믿는다. 겉보기에는 멀쩡해서 이 병은 꾀병이라는 별명이 있는데 억울하지 않다. 위로받지 않아도 환자대우를 받지 않아도 괜찮다. 나는 나 나름대로 행복을 느끼며 충만한 감사함으로 살고 있다.

고난은 인간을 황폐화시키는가, 아니면 겸손케 하는

가. 나는 후자를 선택했다. 남편은 내가 방귀를 뀌거나 똥을 싸면 하이파이브를 하거나 축하해, 라고 말해주고, 밥을 반 공기 먹으면 자알했어! 라고 칭찬해준다. 내가 감사한 자세로 하루도 빠지지 않고 살 수 있는 건 거의 남편 덕이다. 남편은 영어, 일어, 한국어로 된 논문과 의학서적을 읽었고 여러 병원의 온갖 과로 나를 데려갔으며 내 피를 뽑아 미국에 보내기 까지 했다. 나를 위해 무언가 할 수 있는 것이 인생의 가장 큰 기쁨이라고 귀에 딱지가 앉도록 말해주는 사람이었다. 그런 남편 앞에서 우울한 표정을 지을 수 있는 사람은 없을 것이다. 나는 누구도 받기 힘든 극진한 대접을 받고 있고 그런 남편을 위해 나의 건강과, 하늘을 뚫을 기세의 나의 야망까지도 포기할 수 있다. 인생의 이런 동반자를 얻은 것만으로도 나는 살면서 누릴 총량의 복을 너끈히 받고 있다.

-2011년 10월 31일

생활의 불만은 영혼을 잠식한다

연날리기를 할 때 상대의 연을 끊기 위해 실에 유리가루를 바른다. 유리가루는 겉보기에 곱고 빛나는 자태지만 두 줄이 엉켜 여러 번 비비면 줄은 곧 끊어진다. 실을 끊을 뿐더러 심하면 날아가는 나비도 새도 죽인다. 마찰은 건강한 피부도 상하게 한다. 정신과 의사가 내게 그런 말을 한 적이 있다. "자, 이 건강한 제 손 등을 보세요. 그런데 제가 다른 손으로 이 손등을 여러 번 비비겠습니다. 한 시간이고 두 시간이고 비빌 거예요. 그러면 어떻게 될까요?" 우울증에 걸려 투병하던 하루하루는 유리가루 같았다. 그럴 듯한 모습으로 다가와 내 영혼에게 상처를 내는.

내 몸에는 흉터가 많다. 등에는 유리가 떨어져 생긴 20cm의 흉한 흉터가 있고 배에는 수술로 인해 생긴 여러 개의 칼자국이 있다. 전신에는 담배로 지진 것 같은 모양새의 뜸 자국이 있다. 목욕탕에 가면 일본사람들은 나를 슬금슬금 피하고 한국 사람들은 내 얼굴을 한 번 확인한다. 지금도 남편은 종종 놀린다. 뭐 하시는 분입니까? 이제는 나이도 들고 해서 괜찮지만 당시는 젊은 몸이 망가지는 데에 대해 서글픔을 느꼈다. 수술 자국은 설명하지 않아도 뭔지 알 수 있지만 온 몸의 뜸 자국은 보기가 좀 흉하다. 남편은 말했다. "당신의 흉터는 전쟁에서 얻은 상처 같은 거야. 얼마나 잘 싸우고 있는지 보여주는 증거야." 그렇구나. 이 흉터는 내가 싸우고 이겼다는 훈장이구나. 남편의 말을 버팀목으로 삼았다. 남편의 조언은 설득력이 있었다.

남편은 나를 극진히 위로해주었지만 늘 그러지는 않았다. 당연했다. 그는 때로 내 고통을 모른 척 했는데 그래야 그도 살 수 있을 터였다. 퇴근 길이면 남편은 늘 우리의 신혼집, 분홍색 단독 주택을 올려다보았다. 오늘도 불이 꺼져 있네. 이 말은 아내가 오늘도 움직이지 못하고 누워만 있었다는 뜻이다. 남편은 한숨을 쉬고 편의점으로 돌아간다. 맥주 한 캔을 원 샷하고 집으로 들어온다. 불을 켜며 "다다이마! 나 왔어!" 라고 2층 거실에 누워있는 아내에게 힘차게 외친다. 그러나 아내는 대답조차 할 수 없다. 성대도 굳고 배에 힘을 줄 수 없어 소리가 안 나오기 때문이다. 남편은 종일 누워만 있던 아내를 화장실에 데려간 후 냉동 볶음밥으로 후다닥 저녁을 차린다. 아내는 차려놓은 밥상을 건드리지도 못하고 오늘도 결국 토마토 한 개를 먹는다. 그러고 나면 진이 빠져 다시 눕는다. 아내는 말이 없다. 남편도 말이 없다.

특히 지치는 날들이 있었다. 남편은 그날 외국인 동료에게 이혼하라는 권유를 또 들었다. (이 글을 쓰는 지금으로부터 1년 전에야 알게 된 일이다) 그런 날이면 남편은 아내에게 아무 말도 하지 않았다. 아내도 남편의 침묵에 항의하지 않았다.

당시 나는 남편의 그런 상황을 짐작하지 못했다. 밖에서 어떤 소리를 듣고 다닐까지 헤아리지 못했다.

당신도 열심히 하고 있듯이 나도 열심히 버티고 있어, 라는 말만 속으로 웅얼거렸다. 스스로 괜찮은 결혼생활을 하고 있다고 믿었다. 남편과 의견차이가 있을 때도 언성을 높이지 않았고 한국이 그리울 때에도 일본이 지겨울 때에도 짜증내지 않았다. 결혼이란 원래 험난한 여정이라는 각오가 있었다. 어떻게 한 결혼인데, 남편의 편에 서서 생각해줘야지 늘 다짐했다. 이 강한 신념에 슬그머니 곰팡이가 피기 시작한 때는 아픈지 3년차가 되었을 시기. 어느 새 못마땅한 붉은 불씨가 피더니 모락모락 연기가 새어나갔다. 불만이 생기고 화가 났다. 눈물이라도 흘리면 좋을 텐데 눈물도 나지 않았다. 우울씨는 무감각의 얼굴도 가지고 있었다. 아무 감정도 느낄 수 없었다.

남편과의 다툼

아프고 난지 3년차. 어느 날 남편에게 내 속 이야기를 조곤조곤 했다. 대부분 생활의 불편함에 대한 내용이었다. 남편은 듣기만 했다. 그리고 내게 처음 털어놓았다. 남편은 간병인으로서, 주부로서 사는 삶이 어렵다 했다. 당연히 힘들 터였다. 그런데 화가 났다.

그간 환자 행세를 하지 않으려고 무던 애를 썼는데 그 노력이 허사가 되는 기분이었다. 아무리 아파도 참았고 밤새 혼자 통증을 견뎠다. 속이 메스꺼워 일본음식을 못 먹어도 못 먹는다 말하지 않았고 먹을 수 있는 음식을 찾아내 먹었다. 불평하지 않으려고 노력했고 실제로 큰 불만도 가지지 않았다. 약물 부작용으로 인생 최대치의 몸무게를 날마다 갱신하고, 일과 건강과 외모와 신분을 잃었지만, 아무것도 아닌 내가 마음에 들었다. 아무것도 아니어서 햇빛에, 물 한 모금에 감사할 수 있었다. 내 아무것도 아님이 일상을 감사하게 받아들이게 했다.

그런데 그날, 남편의 털어놓음은 내 참음의 벽을 무너뜨렸다. 어떻게든 살아보려는 발버둥의 의지가 꺾인 기분이었다. '내가 이렇게까지 버티면 너도 버텨야 하는 거 아냐. 당연히 그래야 하는 거 아냐. 나는 버티는데 너는 왜!' 억울했다. 우울씨도 내 편을 들었다. "너는 최선을 다하고 있어. 환자는 너야. 병과 싸우는 건 너라고. 너는 충분히 이해받지 못하고 있어. 억울한 일이지." 우울씨는 비난쟁이였다. 내가 귀를 열면 쉬지 않고 떠들었다. 보통은 이간질이었다. 내가 우울씨의 말만 듣고 남편을 이해해주지 않자 그는 실망하여 1층 안방으로 내려갔다. 나는 더 이상 말하지 않고 2층 거실에 다시 누웠다.

아프면서 우리는 각층을 썼다. 부작용으로 체중이 18kg 늘어 다리가 더 아픈 것, 그래서 계단을 잘 오르내리지 못하는 것, 1층이 유난히 추운 일본집의 구조, 딱딱한 바닥에서는 자지 못하는 남편의 잠버릇, 뜨끈뜨끈한 장판 위에서 자야 덜 아픈 내 병증, 화장실과 부엌이 가까이 있는 거실에 있어야 그나마 먹고 배설할 수 있는 내 상태. 이런 이유로 신랑은 1층의 안방 침대에서 자고, 나는 2층의 거실에서 자게 되었다.

새벽 세시. 우울씨가 말을 멈춘 때였다. 흥분이 가라앉자 우울씨에게 받아칠 수 있었다. "넌 참 말 쉽게 하는구나. 신혼에 아내 병수발이나 해야 하는 저 사람의 처지가 불쌍하지도 않니?" 우울씨가 답했다. "그래도 환자는 너잖아." "저 사람은 내가 평생 이러고 살아도 괜찮다고 하는 사람이라고. 저 사람의 심정을 너는 생각이나 해봤어?" 우울씨는 대답하지 못했다.

절뚝거리며 1층 계단을 내려갔다. 오랜만이었다. 1층은 차가웠고 습했다. 남편이 잠든 침대엔 일본 전기담요를 깔았지만 2층 거실의 온열장판에 비하면 너무나 미약한 온기였다. 살며시 남편 옆에 누워 잠을 청했다.

남편의 등을 보며 그가 짊어진 무게를 느꼈다. 남편은 깊은 잠에 빠져있었다. 나는 한 시간쯤 잠을 청했다. 하지만 이내 추위와 통증을 견디지 못하고 2층으로 올라왔다.

뜨끈한 전기장판에 몸을 뉘였다. 엎치락뒤치락하다 잠을 청했다. 여명이 오고 있었다. 신문 배달하는 오토바이의 엔진소리가 고요한 밤에 잠시 다녀갔다. 밤을 지새운 새벽, 스르르 잠이 들었고, 해가 뜬 뒤에도 이어졌다.

봄바람

　일어나 보니 아침 열 시. 괴로움을 더 이상 참을 수 없어 깨었다. 손가락 하나 까딱할 수 없고 작은 목소리를 내기에도 어려웠다. 앓고 나니 알게 된 사실인데, 사람이 말을 할 수 있으면 기운이 돌아온 상태다. 기력이 떨어지면 배에 힘을 줄 수가 없고 입술을 벌릴 수가 없어 말을 할 수 없다.

　말할 기력도 없으니 화장실에 가고 싶지만 일어나질 못했다. 제시간에 약을 먹지 못해 금단 현상으로 괴로웠다. 한 시간쯤 참다가 다섯 걸음을 걸어 약부터 먹었다. 그리고 세 걸음 걸어 화장실을 갔다. 빈속이라 속이 아파 다섯 걸음 더 걸어 냉장고에서 브리토 하나를 꺼냈다. 세 걸음 걸어 레인지에 데우고 다섯 걸음 걸어 식탁에 앉아 손을 덜덜 떨며 브리토 속을 파먹었다. 그리고 다시 다섯 걸음. 뜨거운 장판에 누워 한숨을 돌렸다. 고작 이 정도를 하는데 네 시간이나 걸렸다.

오후 2시. 창밖을 보니 구름 한 점 없는 하늘이 맑았다. 마음을 바꿨다. 옷을 입고 집밖으로 나섰다. 양 다리에는 모래주머니를 달고 있는 것 같고 등에는 떨어지지 않는 바위가 얹혀있는 듯 했다. 의사는 내게 되도록 움직임을 제한하라 강권했다. 정 움직이고 싶으면 다음 날의 고통은 각오를 하고 움직이고 싶은 만큼의 절반만 하라고 했다. 몇 걸음 산책을 하는데 중심잡기가 어려워 비틀거렸다. 하지만 봄바람이 상쾌했다. 내 몸은 따듯한 봄바람을 가르고 있었다. 집 앞 몇 걸음만 걸으려다 근처 공원으로 향했다.

여전히 몸은 무거웠다. 발바닥이며 아킬레스건이며 한 걸음을 내딛을 때 마다 몸의 모든 관절과 인대와 근육이 아팠다. 공원에서 외쳤다. "나는 건강해 질 거다!

나는 건강 해 질 거다! 나는 건강하다! 내 몸은 건강하다! 주님 도와주세요! 전보다 더 건강해질 수 있도록 도와주세요! 나는 건강하다! 건강하다! 건강해 질 거다!" 간신히 새어나오는 쇳소리로 소리쳤다.

남편이 나를 보호하고 간호하고 지켜주는 건 당연한 의무가 아니다. 내가 당연히 요구할 수 있는 권리가 아니다. 감사가 배제된 권리의 요구는 폭력이다. 내 기준에 모자라는 남편의 행동과 말은 내 감사가 인색해졌기 때문에 생긴 오해다. 남편이 내게 해주는 모든 일이 호의다. 남편이 지난 시간 베풀어준 모든 간병의 순간이 호의다. 마땅한 일이 아니다.

한 시간여의 산책을 마치고 집으로 돌아왔다. 카톡에는 남편의 "같이 자주어서 고마워"라는 메시지가 와 있었다. 퇴근 후 남편은 내 외출을 축하해주었다. "대단하다! 고마워!" 우리는 다시 회복되었다.

일상의 작은 일들이 조금씩 조금씩 생채기를 내다 사람들은 어느 순간 마음을 닫는다. 일단 마음이 닫히면 다시 열기가 쉽지 않다. 앙금이란 이 세상에서 가장 무거운 유리가루다. 피부를 스쳤던 유리실을 그냥 놔두면 그것은 언젠가 거대한 톱날이 된다. 우리의 심장을 도려낸다. 이 세상에 내 마음을 알아주는 이가 하나도 없어도 그러나 한 사람이 남아있다. 그것은 나다. 나를 사랑해 줄 수 있는 내가 이 세상에 있다.

　나는 나의 유리가루를 봄바람에 털었다. 내가 진심을 소중히 가지고 있는데, 누가 나의 진심을 훔쳐갈 것인가. 진심은 무엇보다 회복탄력성이 강하다. 그래서 진심에 충실해야 한다. 충실하고자 한다. 나는 봄바람 덕에 건강한 마음으로 건강한 하루를 살겠다 마음먹었다. 삶이 내 마음대로 되지 않을 때, 유리가루가 내 심장에 박힐지라도 내 삶을 좋아하는 것과는 별개의 문제다. 나의 선택이다.

우울씨의 다른 얼굴. 망각

어느 따뜻한 오후였을까. 차디찬 저녁이었을까. 정확히 기억은 안 난다. 거의 다 먹어치워 혀로도 부술 수 있는 사탕 같은 얇은 잠을 자다 눈을 떴을 때, 나는 낯선 곳에 있었다. 여기가 어디지. 나는 어디에 누워있는 거지. 왜 내 몸은 움직이지 않는 거지! 순간 당황했다. 주위를 둘러봐도 한국이 아닌 낯선 구조의 집이었다. 너무 놀라 어버버 말도 안 나오는데 차츰 기억이 났다. 우울씨가 말해주었다. "여긴 일본이야." "내가 일본에 왜 있지?" "결혼했잖아." "내가? 언제 했지?" "2011년에

했어.""지금은 언제지?""글쎄. 그건 모르겠는 걸? 니가 그렇지 뭐"우울씨가 대답했다.

우울증이 깊어지면 기억장애가 온다. 치매와도 비슷한 증상이다. 섬유근통증을 앓아도 치매와 비슷한 우울증이 오기도 한다. [생로병사의 비밀]을 제작할 때 치매를 다룬 적이 있다. 치매환자는 스스로 환자임을 인지하기가 어렵다. 때문에 치매 환자에게, 내가 당신 부인이잖아! 내가 아빠 딸이잖아! 라고 말을 하면, 나는 스무 살인데 육십의 할머니가 내 부인이라고, 서른의 여자가 내 딸이라고 주장을 하는 상황이 된다. 세상이 거꾸로 돌아가고 있는 것이다. 그러면 당연히 환자는 패닉이 되고 그 스트레스는 치매를 더 악화시킨다.

나를 기운 빠지게 하는 증상은 통증이 아니었다. 기억장애였다. 기운이 없어 내 몸을 스스로 못 씻는 것보다, 화장실 앞까지 부축을 받는 것보다, 기절할까 문을 열고 볼 일을 보는 것 보다, 정말 더 슬픈 건 날짜와 장소, 심지어 결혼여부까지 기억 못하는 것. 그게 가장 슬펐다. 기억장애가 통증보다 더 아팠다. 자다가 눈을 떴을 때, 여기가 어디지……. 라는 생각을 해야 하는 날엔 컨디션이 좋은 때에도 나를 맥 빠지게 했다. 기억하지 못한다는 건, 모든 면에 있어 자신감을 잃게 만들었다.

과거를 기억하는 것, 오늘 일어날 일을 기대하는 것, 미래를 상상하는 것, 그 모든 인간다움이 나에겐 없었다. 2013년과 2014년은 정확하게 기억하지 못한다. 단편적 사건이 남아있을 뿐 그 해 봄에 이듬 해 가을에 무슨 일이 있었는지 잘 모른다. 내내 거실에 누워 천장을 바라보고 창문으로 아침과 저녁이. 봄과 겨울이 왔다는 것만 기억한다. 그럼에도 불구하고 당황하지 않으려고 노력했다.

한때 내 인생의 모토는 '그러거나 말거나'였다. 타인으로 인해 내 의지가 꺾이지 않고 내 커리어에 영향 받지 않는 것이 중요했다. 그러다 남편을 만나며 세상에 내 마음대로 되는 일이 아주 많다는 사실을 알게 되었다. 그후 모토는 '그럼에도 불구하고'로 바뀌었다. 어떤 일이 있어도 어떤 사람이 나타나도 "그럼에도 불구하고" 나는 앞으로 나아간다. 그럼에도 불구하고 좌절하지 않는다. 그럼에도 불구하고 나는 열심히 산다. 그러고 살았다. 그런데 기억이 날아간다는 건 불확실성에 나를 던져놓는 것이었다. 핸드폰을 들 수가 없어 남편의 회식이나 부모님의 생일을 메모할 수도 없었고 내 생일과 결혼기념일도 잊었다. 매일 남편에게 오늘은 무슨 일이 있냐, 물으면 남편은 귀찮아하지 않고 오늘은 회식이 있다고 거듭 말해주었다. 나는 거기서 그치지 않고 카톡으로 전화로 여러 번 말해달라고 부탁했다. 그래야 남편을 기다리지 않으니까. 하루 종일 아무하고도 말하지 않고 지내는 날, 밤 11시가 되도록 남편의 귀가를 기다리지 않을 테니까. 기억을 잃는다는 사실은 나를 더 동물처럼 느끼게 했다.

기억이 잘 저장되지 않는 현상은 십 수 년이 지난 지금까지도 지속되고 있다. 이 글을 쓰면서도 내가 무슨 내용을 썼지, 어떤 내용으로 쓰고 있지 자꾸 잊는다. 메모를 해놓으면 메모가 어디에 있는지, 심지어 메모를 했는지도 잊는다. 내용을 기억하지 못하니 책을 읽을 수도 드라마를 볼 수도 없다. 그래도 많이 좋아져 요즘은 드라마 10분 정도는 본다. 한편을 보는 데 여러 날이 걸리지만 그래도 볼 수 있다. 나아지고 있다고 기억력이 돌아 올 거라고 막연히 믿고 있다. 안 돌아와도……

할 수 없다. 지금처럼 잊어버리며 살아갈 밖에. 좋은 일
도 하지만 덕택에 나쁜 일도.

방울토마토

　지난봄, 좀처럼 울리지 않는 우리 집 벨이 울렸다. 옆집의 사사키 할머니였다. 그때 조심스럽게 물으셨던 질문이 우리 집 텃밭에 방울토마토를 심어도 되느냐는 말씀이었다. 집 둘레로 1미터 가량의 토지가 둘러싸고 있는데 우리 부부는 잡초도 뽑지 못하고 있었다. 당연히 된다고 말씀드렸다. 할머니는 심장 수술의 이력이 있는 90세의 고령이시라 슈퍼만 겨우 다니신다. 그런 분이 토마토를 심으실 의사가 있으시다니 반가웠다.

　요즘 컨디션이 좋다. 이틀에 한번은 샤워할 수 있다.

짧은 저녁 시간의 샤워를 위해 하루 종일 아무 것도 하지 않고 체력을 비축한다. 샤워도 남편 도움없이 혼자 한다. 봄이 되고 여름이 되니 몸도 마음도 한결 가벼워졌다.

남편에게는 잔인한 말이지만 사실 더 아파도 괜찮다고 생각했다. 차라리 더 아파서 내가 아무 것도 아닌 인간임을 바닥까지 깨닫고 싶은 마음이 있었다. 아픈지 1년 4개월. 갖게 된 건 통증과 시간 밖에 없다. 무한정 허락된 시간 안에서 나는 과거의 나를 돌아보았고 그 안에서 엄청난 교만을 보았다. 뒷 담화를 하지 않고 앞 담화를 하는 뻔뻔함, 국장님에게도 거침없이 소리 지르는 무례, 그러거나 말거나라며 상대의 깊은 마음을 헤아리지 못하는 이기심, 성공에 대한 야욕, 너무 많은 더러움이 내 안에 있었다. 그래서 차라리 아픈 시간 동안 나를 뜯어고쳐 보고 싶었다. 육신의 부족함과 고통으로 영혼의 불순물을 걸러내고 싶었다. 영혼이 맑은 사람이 되고 싶었다. 그래서 더 아프고 고통 받아도 괜찮다고 여겼다. 고통이 나를 겸손하게 만들고 있다고 착각했으니까. 알량한 교만이다.

이번 주 토요일 남편의 미국 출장지를 따라간다. 무려 2주간의 여정이다. 출근해야하는 5일은 제외하고 남은 열흘은 여행을 다닐 계획을 세웠다. 포도를 선물했던 친구 스즈키 상이 휠체어도 빌려주었다. 언제든 마음껏 쓰라고 우리 집 벽장에 가져다놓았다. 휠체어를 타고 열 시간을 날아가 한 번도 가본 적 없는 낯선 나라에 간다니. 두렵다. 사실은 따라가고 싶지 않다.

성숙해지고 싶다는 단단한 다짐이 2주간의 여행 계획 앞에 무너지고 말았다. 장시간 비행기를 타고 가서 일주일 정도는 누워있을 각오. 그러나, 그러나 돌아와서는? 우울씨가 속삭인다. "그곳에서 일주일을 누워있고 낮에 겨우 산책 한번을 한다 해도 돌아와서는? 무리한 일정으로 인해 다시 악화되면. 더 나빠지면? 엄청난 고통을 종일 앓게 되면? 더 못 일어나게 되면?" 질문이 끊이지 않았다.

영혼의 맑음을 위해 더 고통 받아도 된다는 생각은 지극히 호기였다. 누워서만 지내니 낼 수 있는 욕심이었다. 마음은 알량해서 여행지에서 기절할까봐, 돌아와서 응급실에 실려갈까봐 회복하지 못할까봐 그 걱정만

하고 있다. 걱정은 아무 소용이 없다는 걸 알아도 소용이 없다. 괜한 결정을 했나. 하지만 남편 없이 2주간 혼자 집에서 지낸다는 것이 더 불가능하다. 누구의 부축을 받아 화장실을 가고 밥을 먹고 씻을 것인가. 막연한 긍정은 사라지고 두려움만 남았다.

띵동. 두려움에 떨고 있을 때 벨이 울렸다. 봄에 우리집 벨을 누르셨던 사사키 할머니다. 우리 집을 조심스럽게 찾아오신 할머니는 방울토마토가 익었으니 따 먹으라고 하셨다. 할머니는 30분 이상은 걸으실 수 없어 산책도 못하신다. 그런데도 모종을 사서 토마토를 심고 번번이 지지대를 묶고 관리까지 해주셨다.

나는 할머니가 노는 땅을 아까워하시는 건 줄만 알았다. 아니었다. 나를 위해 그 모든 수고를 자청하신 거였다. 할머니에게 앞으로 2주는 집에 없으니 할머니가 따 드시라고 했다. 알겠다고 하고 돌아가시더니 다시 벨을 누르셨다. 첫 토마토를 따오신 거였다. 다섯 알. 붉은 방울토마토 다섯 알이었다. 싱싱한 다섯 알의 토마토가 할머니 거친 손바닥에 올려져있었다. 순간 가슴이 뻐근해서 감사의 인사를 연거푸 드렸다. 할머니는 아무 것도 아니라며 모나는 잘 있지? 한마디만 남기고 되돌아가셨다.

2층 거실에서 키만 삐쭉 자란 토마토 나무를 내려다본다. 잡초 속에서 비료도 없이 꿋꿋이 자란 토마토 나무다. 그리고 내 손바닥 안의 방울토마토를 다시 본다. 차갑고 붉고 단단하다. 방울토마토 다섯 알로 내가 혼자가 아님을 본다. 내 과거와 현재와 미래를 본다. 늘 그랬듯 나는 혼자가 아니었고 아니고 아닐 것이다.

덧, 미국에 가서 종일 자긴 했지만 라스베이거스에 다녀왔다. 휠체어를 타고 다녀온 라스베이거스는 퍽 즐거웠다.

-2013년 7월 4일

일본에서의 우울증 치료

　로그 잼이라는 말이 있다. 강의 어느 한 곳에 몰려 막고 있는 통나무더미, 즉 정체를 뜻한다. 누구는 영혼에도 로그 잼이 있다고 했다. 내가 그랬다. 몸을 제대로 움직이지 못하고 기억을 제대로 하지 못하는 나의 상태는 로그 잼이었다. 나의 통나무들은 그럭저럭 강을 따라 삶의 순서대로 흘러가고 있었다. 그러다 병을 만났고 로그잼의 상태가 되었다. 로그잼은 나를 무기력하게 했다. 진단을 받았고 치료를 받고 있고 그러니 나을 거다, 라는 희망은 희미해져가고 있었다.

차츰 우리 부부는 나의 투병을 영원한 일이라 예단했다. 그러니 그날그날에만 충실하게 살자고 약속했다. 뭐라도 하고 싶은 나는 눈을 뜰 수 있고 리모컨을 손에 들 수 있는 날이면 영화를 보았다. 어느 겨울, 내가 본 영화를 세어보니 4백편이었다. 힘들지 않은 날엔 하루 여섯 편의 영화도 보았는데 그렇게 본 영화들이 아깝게도 기억에 남아있지 않다. 친구들의 대소사도 당연히 잊어버렸다. 언니 나 결혼했잖아요, 라고 말하면 민망해하며 말을 돌렸다. 그들에게 나는 기억이 날아가는 중이라고 말할 수가 없었다. 지금도 마찬가지다. 열 번이나 만났는데 당신의 이름을, 당신의 이야기를 기억하지 못한다고 그때그때 마다 말 할 수가 없다.

기억을 유지하기 어려워 소셜 계정에 일상을 기록하기 시작했다. 사진을 남기고 메모를 남겨 하루를 저장해 두었다. 그 덕에 이 글도 쓰는 중이다. 풀어내는 이야기의 상당부분은 사진과 기록에 의지하고 있다. 아이러니하다. 기억하지 못하는 삶에서 뜻을 발견하고 싶어 한다는 태도가. 어쩌면 여태껏 발버둥이다.

이렇게까지 상태가 악화된 데엔 일본에서의 우울증

치료가 쉽지 않은 데에 있었다. 의사들은 나 정도는 심한 우울증에 속하지 않는다고 했다. 기억이 날아가고 생활에 지장을 받는데도, 유명한 전문의는 내게 우울감이라고 했다. 심하지 않아 약을 처방해 줄 수 없다고 했다. 섬유근통증을 치료하기 위한 보조제로 항우울제를 처방받았지만 굉장히 약한 용량이었다. 한국의 우울증 전문의에게 물어보니 이 정도의 약은 치료의 효과를 기대하기 어렵다고 했다. 우울씨는 일본에서 거침없이 활약했다.

아마도 내 추측이지만 일본의 우울증은 기준은 우리나라보다 높지 싶다. 일본에서 세 번의 이사를 했는데 옆집에도 은둔형 외톨이가 있었고 뒷집에도 있었다. 식사 재료를 집 앞까지 배달받아 거의 외출하지 않고 지내는 사람도 꽤 많았다. 교회에서 만난 일본인 중에서도 가족을 은둔형 외톨이로 둔 사람들이 있었다. 자살 소식도 흔했다. 남에게 피해주는 것을 가장 싫어하는 일본인이지만 사람들은 전차에 몸을 던지는 방법으로 마지막을 택하곤 했다. 전차 알림판에는 인신사고라는 안내문구가 꽤 자주 떴다. 수습하는 데 시간이 걸리니

다른 전차를 이용하든가 기다리라는 뜻이다.

우울씨는 때때로 나를 삶의 바닥으로 데려가 주었다. 내가 얼마나 형편없는 인간인지, 다른 사람들이 나를 어떻게 생각하는지, 내 과거가 얼마나 추잡한지 끊임없이 속삭였다. 우울씨는 말 잘하는 이간질쟁이, 비난쟁이, 수다쟁이였다. 과거를 곱씹으며 인생을 후회하도록 만들었다. 나를 떠난 사람은 모두 내 책임이었고 나의 현재도 모두 내 책임인 것 같았다. 가족과 남편까지 로그잼으로 끌어들이는 전염병 같은 존재 같기도 했다.

그러나 우울씨의 말에 남편이 끼어들었다. 남편은 무기력한 내게 새로운 직업을 권했다. 내가 무슨 일을 할 수 있단 말이야, 라고 생각했지만 남편은 의미 없는 말을 하는 사람이 아니었다. 그가 권한 직업은 환자였다. 하루치의 고통을 참아내는 걸 일로 받아들이라는 거였다. 나는 그 말이 퍽 마음에 들었다. 무언가 하고 있다는 상태가 중요했다. 그래서 한 가지를 덧붙였다. 긍정적. 긍정적을 덧붙일래. 그럼 의미가 생길 것 같아. 남편은 기뻐했다. 그래서 나는 직업이 생겼다. 긍정적 환자. 나의 직업은 그때부터 지금까지 긍정적 환자다.

시간이 지나고 나이가 들고 몸이 늙고 보니
인연이 끝나는 게 대단한 일이 아니게 되었다.
인연에도 유통기한이 있음을 깨달았기 때문이다.
그 인연은 단지 유통기한이 다 되어 돌아갈 곳으로 돌아갔다.
모든 인연은 끝이 있고 저마다의 역할을 다 하면
그 인물은 내 무대에서 퇴장한다.
설사 헤어지지 않더라도 죽음으로도 인연은 갈라진다.
나와 너는 별개의 타자(他者)이고 나와 너의 마음의 질량은 같지 않다.
이제 그만 받아들이고 새로운 인연이 기다리는 곳으로 가면 된다.

우울 안에서의 관계

Chapter 2

모든 인연에는 유통기한이 있다

　일본에서 지내며 상당한 한국의 인간관계가 끊어졌다. 끊어졌다보다 좋은 말은 정리되었다 일까. 그보다 좋은 말은 필요한 만큼으로 축소되었다 일까.

　거기에 이르기까지 우울씨는 참 다정했다. 늘 나를 피해자로 여기고 위로해주었다. 할 만큼 했다는 구구절절한 변명과 항의의 말도 대신 해주었다. 거기에 오늘 하루 왜 내가 우울해도 되는지 까지 설명해주었다. 옷을 갈아입을 때도 양치질을 할 때도 자려고 누웠을 때도 쉬지 않고 읊어댔다. 나는 내 증상을 가까운 사람에게 털어놓았다. 다른 사람들도 혹시 나와 비슷한 면이 있을까 희망을 걸고 싶어서. 내 머릿속을 떠다니는 핑계와 변명을 두고 그래 사는 게 다 그렇지, 라는 말이 듣고 싶었던 거 같다.

친구는 내 증상을 듣더니 숨도 안 쉬고 대답했다. "그거 조현병 아냐?" 나는 말을 잇지 못했다. 이런 친구들의 말이 내 가슴과 영혼을 헤집어 놨다. 감당이 안 될 땐 그 사람을 멀리하기도 했지만 상대가 굳이 먼저 떠난다고 하기 전까진 그대로 두었다. 그래서 들은 여러 말이 있다. 친구의 어머니가 돌아가셨을 때 휠체어를 타고 조문을 가겠다고 하자 "아픈 사람은 지긋지긋해. 안 왔으면 좋겠어." 라거나 마음을 터놓은 일본 살이 친구에게 한국에 다녀온 날들이 참 좋았다고 하자 "그럴 거라면 한국으로 돌아가라" 라거나 오랜만에 안부를 전하는 통화에 "왜 전화했어요?" 라거나 "우리 이제 만나기는 어렵겠다. 그치?" 등등 여러 말을 들었다. 그들은 아픈 말을 남기고 알아서 떠나갔다.

처음엔 당황했지만 결국 내 탓을 했다. 그들은 이미 나와의 관계를 정리하고 싶었을 것이다. 그들의 입장에서는 인연이 끝났을 것이다. 그런데도 내가 관계를 놓지 않았을 것이다. 그것은 어쩌면 폭력이다. 상대의 동의가 없는 인연의 이어짐은. 모두 내가 잘못한 탓이다. 그때는 우울씨의 말을 잘도 들었다.

연애의 끝이 대부분 좋지 않듯이 급작스레 끝이 난 인연의 상당수도 불쾌할 때가 많다. 보기가 좋은데 끝나는 인연은 잘 없다. 저마다의 입장과 오해가 쌓여 끝맺음이 좋지 않을 뿐이다. 수많은 사람을 쫓아 보낸 뒤 깨달았다. 그 지저분한 인연의 과정에는 나도 함께 진흙탕에 있었음을. 절대적인 피해자도 없으며 더더욱 나는 가해자였으면 가해자였지 피해자는 아니었음을. 수동적으로 인연을 끝내는 양 보였지만 실은 내가 떠나가게 했음을.

어쩌면 시작하지 않은 편이 좋았을 법한 인연도 내가 손을 잡아 시작했다. 내 필요에 의해서 시작된 인연이다. 필요하지 않았더라면 나는 상대의 손을 잡지 않았을 것이다. 지나간 인연에는 지금 미안함만이 남는다. 내가 좀 덜 교만했더라면. 내가 좀 더 겸손했더라면. 내가 잘했더라면 하는 후회가 남는다. 그렇다고 해서 온전히 후회만 있는 것은 아니다. 앞으로는 좀 더 잘하고 싶다는 희망의 장작이 되는 회한이다.

아프기 전에는 불편한 관계는 정리하는 것이 상책이라 믿었다. 상처를 주는 사람은 만나지 않는 것이 옳다고 여겼다. 그런데 지금은 잘 모르겠다. 상대를 차단하는 것이 어쩌면 스스로를 차단하는 것이 아닌가. 더 인내하고 알아가고 포용하는 계단을 올라가지 않는 것이 아닌가. 상대가 아닌 스스로에게 기회를 빼앗는 것은 아닌가. 그럼에도 불구하고 끝나는 인연에게는 무어라 말해줘야 할까.

시간이 지나고 나이가 들고 몸이 늙고 보니 인연이 끝나는 게 대단한 일이 아니게 되었다. 인연에도 유통기한이 있음을 깨달았기 때문이다. 그 인연은 단지 유통기한이 다 되어 돌아갈 곳으로 돌아갔다. 모든 인연은 끝이 있고 저마다의 역할을 다 하면 그 인물은 내 무대에서 퇴장한다. 설사 헤어지지 않더라도 죽음으로도 인연은 갈라진다. 나와 너는 별개의 타자(他者)이고 나와 너의 마음의 질량은 같지 않다. 이제 그만 받아들이고 새로운 인연이 기다리는 곳으로 가면 된다.

고등어, 나는 당신을 모른다

고등어를 싫어했다. 어린 시절 생물 고등어는 흔치 않았다. 주로 자반으로 먹었다. 바다에서 육지로 고등어가 오기 까지 소금은 고등어살에 스며들어 감칠맛을 올렸지만 비린내를 감추지는 못했다. 고등어는 내 입맛이 아니었다.

요즘 남편이 가을 생선을 자주 사온다. 갈치가 취향이지만 일본에 갈치는 한인 슈퍼나 가야 세네갈 산이 있다. 남편이 고등어를 사와 일본식으로 곱게 갈은 무를 올려놓았을 때 '비린내 나는 등 푸른 생선은 싫은데,

갈치면 몰라도.' 속으로 투덜댔다.

그런데 이게 웬일. 세상에서 가장 맛있는 생선을 그 날 저녁으로 먹었다. 한 순간에 고등어를 사랑하게 되었다. 아침, 점심, 저녁. 밥상엔 주구장창 고등어가 올라왔다. 그렇게 풍미가 훌륭한 생선은 처음이었다. 알고 보니 남쪽으로 내려오기 전의 고등어라고 했다.

고등어는 계절에 따라 알래스카 쪽 북쪽 바다에서 남쪽으로 내려온다. 가을에 한창 어획하는데 이때의 고등어는 몸에 지방을 잔뜩 가지고 있다. 험난한 여정을 짐작하고 미리 몸에 힘을 길러놓는 거다.

나는 고등어를 싫어해, 라고 산 수십 년이 부끄러웠다. 고등어에게도 미안했다. 내가 상대를 과연 알 수 있다 하려면 얼마나 그를 겪어봐야 하는 걸까. 아니, 상대를 내가 안다고 말할 수 있는 사람이 세상에 존재하기는 할까.

내가 상대에 대해 무엇을 알고 있는지는 단정이 불가능하다. 깨달음이 끝났다라고 선언할 수 있는 기준이 없으니까. 나는 지금 내 주변 모두를 알아갈 뿐이다. 십 년 째 이십 년 째 삼십 년 째 알아가는 중이다.

어느 날 아버지가 남편에게 말했다. "자네 장모와 40년을 살았는데 말야. 나는 내 부인에 대해 다 안다고 생각했어. 그런데 퇴직하고 종일 붙어있다 보니 내가 모르는 면이 많더라고."

누군가를 안다고 말하는 것이 얼마나 어리석고 때로는 위험한지 생각해보지 않았다. 알아가기 더이상 귀찮을 때 안목이나 판단이라는 걸 갖다 붙여 인연을 끝낸다. 내가 고등어에 대해 모르는 만큼 사람들에 대해서도 모른다. 내가 알고 있는 상대의 단점은 어떤 상황에서 벌어진 결과인지, 그게 그 사람의 전부인지 전혀 알 수 없다. 알 수 없는데 내가 상대에 대해 판단하는 것이 옳은 걸까. 끝난 인연에 대해 함부로 평할 수 있을까.

상대도 나에 대해 모름은 물론이다. 그래서 스스로에게 너그러워질 필요가 있다. 그는 나의 인생을 모르고 나의 삶과 세세한 근황과 오늘 일을 모른다. 그러니 나의 진심을 몰라도 상관없다. 우리는 어차피 서로를 모르니까. 진심만 있으면 된다.

-2013년 9월 15일

일본, 낭만적 기대가 좌절을 가져오다

    일본과 잘 지낼 줄만 알았다. 외향성인데다 적극적인 성격이어서 변화를 두려워하지 않는 편이기에. 게다가 김대중 대통령이 집권한 국민의 정부에서 스물세 살, 일본문화의 개방을 경험하기도 한 터였다. 러브레터와 같은 영화와 우타다 히카루의 노래와 롱 베케이션 같은 드라마로 일본을 호의적으로 접했던 세대다. 몇 번의 여행으로도 일본은 친절하고 청결한 기억으로 남아 있었다. 쓰레기를 버리지 않거나 스미마센이라고 양해를 구하거나 남에게 피해를 주지 않고 규칙을 잘 지키는 일본이, 똑 부러진다는 말을 곧잘 듣던 나와 꽤 잘 맞을 줄 알았다.

일본에 처음 가서 놀랐던 건 하루 종일 우리나라 소식이 종일 방송된다는 점이었다. 우리는 일본 뉴스를 접할 일이 별로 없는데 일본에서 우리나라의 뉴스는, 특히 사건 사고는 아침부터 밤까지 텔레비전을 틀면 나왔다. 혐한세력은 우파와 결을 같이 해서 한국의 정치 뉴스는 실시간 생중계되기도 하고 한국에서 몰랐던 자잘한 사건이나 잔인한 범죄도 자세히 보도되었다. 한국에 호의적인 후지티비는 광고가 끊기는 등의 어려움을 겪기도 했다.

외국생활을 하다보면 어느 날 그 나라의 언어가 더 이상 듣기 싫을 때가 온다. 향수병과도 관련이 있는데 보통 3년 주기도 찾아온다고들 한다. 나는 내내 향수병에 걸려있었다. 한국에서 누렸던 모든 것이 당연하지 않게 되었고 일본어에 서툴러 억울한 일도 많았다. 당연히 자괴감이 들었다.

교토에 이어 도쿄는 민폐를 극도로 싫어하는 도시다. 오사카나 오키나와는 전혀 다르다. 이웃집을 불쑥 노크하는 것도 무례한 일이었고 내 멋대로 선물을 하는 것도 생각 없는 경우가 되는 수가 많았다. 컨디션이 좋았던 어느 날 된장찌개를 저녁으로 만들었다. 양도 많고 이웃과 나눠먹고 싶어 옆집 벨을 눌렀다. 평소 교류는 없지만 인사는 하고 지내는 사이였다. 분명히 집에 불이 켜져 있고 사람이 있는데 아무리 기다려도 문을 열어주지 않았다. 한참을 서 있다가 집으로 돌아왔다.

나중에 알고 보니 내가 한 행동은 일본 사람의 성격에 따라 상당히 무례한 행동이 될 수도 있는 거였다. 음식을 나눠먹으려면 먼저 나누어주어도 되느냐, 한국음식을 먹어볼 의향이 있느냐, 알레르기 있는 식재료는 없느냐를 물어보고 약속시간을 잡고 그 시간에 맞게 그릇을 예쁘게 포장해서, 상대가 부담스럽지 않게 양도 조금만 전달해야 했다. 일본 문화를 모르는 나는 무례한 불청객이었다.

타인에 대한 일본의 배려, 민폐주지 않으려는 성향은 시간이 갈수록 숨통을 막게 하는 갑갑함으로 다가왔다. 일본에는 자연스럽게 쓰는 말이 있는데 규칙이 너무 많아 이유를 물으면 "소레와 루르다까라-그것은 룰

이니까"라는 대답을 들었다. 그것은 룰, 이라는 말로 모든 규제가 통용되었다. 친구의 아이는 하굣길에 편의점에 들렀다가 친구에게 신고 당했는데 거기에는 학교가 끝나면 다른 곳은 들르지 않고 무조건 집으로 간다는 규칙이 있기 때문이었다. 친구는 학교에 항의했다. 그게 왜 규칙이냐 따졌더니 하굣길에 사고가 날 수 있는데 학교가 책임질 수 없기 때문에 그렇다는 설명을 들었다. 나는 규칙과 규제에 취약한 사람이었다. 방송작가를 직업으로 선택한 이유도 규칙적인 출퇴근을 감당할 수 없기 때문이었다. 일본살이는 그래서 더더욱 쉽지 않았다.

일본에 사는 한국 사람들은 우리나라의 얼굴을 위해서 더 규칙을 존중하며 따르는 편이 대다수다. 극도로 자유분방함을 즐기던 나에게 일본은 규칙으로 옭아매는 넘을 수 없는 벽 같았다. 마치 다리는 칡뿌리에 감겨있고 몸은 등나무 줄기에 감겨있는 것 같았다. 내내 갈등(葛藤)이었다.

나는 패배를 인정했다. 길을 가면서도 뒷사람과 앞사람을 신경 쓰며 스미마센을 연발해야하는 문화는 내게 맞지 않았다. 물론 일본을 편하게 여기는 사람도 많다. 하지만 나의 경우는 그렇지 못했다. 남편이 섣불리 일본으로 건너오라 하지 못한 배경에는 내 습성과 일본 문화의 특징이 있었다고 했다. 나는 선천적으로 규칙을 갇힘이라는 제약으로 받아들였고 내 손과 발이 묶여있다는 좌절감을 느꼈다.

우울씨는 언제나 내 편을 들었다. "이것은 부당해. 넌 외국인이잖아. 어떻게 너의 정체성을 버리고 완전히 다른 사람으로 살라는 거야? 그건 폭력이야" 나는 그때 우울씨의 말을 일리 있게 들었다. 그러나 현명하지 못한 짓이었다.

사랑받아야 아욱은 자란다

　고등어 철이 가고 날이 추워졌다. 비가 왔고 온도가 내려갔다. 거리에 인파가 줄었다. 겨울의 모습이다.

　일 년에 하루 이틀 정도 거짓말같이 몸이 좋다. 그런 날엔 새벽에 눈을 떠 아침밥을 한다. 남편에게 차려주고 싶어서다. 어제 아침, 몸이 한결 가벼워 기분 좋게 아욱국을 끓였다. 솥밥도 했다. 한국에서 온 재료들이다. 심심하게 푼 된장 국물이 포르르 끓고 아욱이 부드럽게 가라앉았다. 언젠가부터 아침밥으론 계란찜에 된장국이 좋다. 조용히 속삭이는 것 같다. 괜찮아. 오늘도 괜찮은 날이 될 거야. 어서 먹으렴. 기분이 좋아질 거야. 괜찮은 새벽이야.

아욱은 초겨울에도 야들야들했다. 친정 텃밭에 몇 안 되는 아욱은 줄기만 남았다. 이파리는 이곳 일본까지 멀리 날아와 고요한 아침상이 되었다. 어떤 잎은 벌레가 먹었고, 어떤 잎은 싱그러웠다. 엄마에게 물었다. "어떤 건 벌레가 먹었는데 어떤 건 안 먹었네." 성한 이파리들은 이유가 있다고 했다. 날아온 씨가 가마솥 옆에 떨어져 자란 아욱이라고 했다. "가마솥? 따듯해서 그런가? 왜 그 아이만 싱싱한 거지?" 엄마가 말했다. "그러게. 참 신기하지. 사람이 다니는 곳에서 자란 아이들은 벌레가 안 먹어. 텃밭의 아욱은 벌레가 먹는데 가마솥 옆에 자란 애만 싱싱해. 가만 보니 얘들도 사람손이 타는 곳에서 자라면 벌레가 안 먹더라."

어떤 친구가 있었다. 고맙다는 표현도 적고 말투가 억셌다. 내게 화가 났나 싶은 생각도 종종 들게 했다. 그런데 어느 날 자신의 고단한 인생사를 들려주었다. 그래서 나는 울지 않아요. 절대로 울지 않아요. 아, 그렇구나. 그런 거였구나. 표현하다보면 무너질까봐 내색하다

보면 주저앉게 될까봐 그런 거였구나. 사랑받지 못한 채 고비 고비를 그렇게 넘느라고, 힘들다는 말도 하지 않았지만 기쁘다는 말도 할 수 없었구나. 그 친구를 멋대로 판단하지 않아서 정말 다행이었다.

관계에 문제가 있을 때, 대처방법은 저마다 다르다. 먼저 나서서 오해를 털어버리기도 하고 외면하고 끊어버리기도 한다. 화를 내기도 하고 혼자 삭이기도 한다. 어쨌든 피곤한 세상을 평생 살아가야하니까 나름의 방법을 찾아낸다.

관계가 너무 큰 문제가 되었는데 끊을 수 없으면 보통 버티는 쪽으로 태도를 정한다. 하루를 버티고 일주일을 버티고 일 년을 버티고 십년을 버틴다. 그러다보면 문제는 굳이 들추지 않는 이상 잠잠히 어둠 속으로 사라진다. 나는 외면을 택했다 해야 하나, 일단 멈춤이라고 해야 하나. 상대에 대한 비난을 멈추지 않는 우울씨의 말을 듣지 않기로 했다. 상대를 생각하지 않기로 하고 어둠 속으로 침잠시켰다. 우울씨의 부정적 말들도 차단했다. 그리고 과거의 나를 떠올렸다.

"그건 아니지!" 라고 걸핏하면 외쳐댔던 지난날이 떠

올랐다. 자기주장이 강하고 불의에 굴하지 않는 억센 성격이었다. 아파 누워 되돌아보니 그 세월이 쪽팔렸다. 뭐 그리 대단한 일이라고. 날마다 소리치고 한 치의 뒷걸음도 허용하지 않았을까. 뭐 그리 죽고 사는 문제라고.

그렇게 날카로운 사람이었으니 주변인들은 모두 좋은 사람이었다. 나를 견뎌주니까. 나를 참아주니까. 그것만으로도 인품이 증명되는 거다. 참 좋은 사람들, 그런 면에선 비슷한 성향의 사람들과 어울렸다. 그런데 일본에 있는 한국 친구들은 다르다. 나이도 상황도 직업도 무엇도 공통점이 거의 없다. 열 사람을 만나면 그 열이 몽땅 다르다. 그런데도 그럭저럭 몽땅 다른 사람들과 친구가 되었다. 그렇게 불편하지 않다. 뭔가 사정이 있나보지, 라는 생각이 먼저 들면 길거리의 무뢰한도 웃고 넘어가게 된다. 그이는 그런가보다 하니 화가 날 일이 적다. 요새, 남편이 이상한 사람처럼 자꾸 웃는다고 놀린다. 왜 웃어 또 웃네 뭐가 재밌어 라고 물으면 웃기잖아하고는 낄낄거린다. 모나가 산책하고 싶다하면 그래 가자 그게 뭐 대수니 하고 몇 걸음이라도 나가고, 누군가 집에 온다하면 그래요 와요 하고, 간다고 하면 그래요 가요 하고 보낸다. 마시자하면 마시고 먹자하면 먹는다. 요즘 그렇게 산다.

일본에서 어떻게 살아야하나. 꽤 오래 고심했다. 누군가 우리 집 입구를 빈 화분으로 막아놓았고 누군가 우리 집 모퉁이에 김치를 예쁘게도 버려놓았다. 나를 무시하고 낮게 보는 사람들과 어떻게 어울리며 살지, 그건 어려운 일이야 참 어려운 일이야 하며 그동안 거기에만 머물러있었다. 어떻게 살아야 하지는 꽤 어려운 질문이었다. 그런데 어제 아침 아욱이 말해주었다. 난 너와 같이 있으면 더 튼튼해진단다, 더 건강해진단다. 사랑받아서 그렇단다. 그래서 멀리서 부터 날아와 너를 만나 네 빈속을 달래주었단다. 네가 먼저 사랑하면 된단다.

부엌에 아욱국의 냄새가 은은하다. 오늘 저녁에 퇴근한 남편이 한국집 같아 라고 하는데 그 말이 참 듣기가 좋다. 잘 살고 있구나. 어떻게 어떻게 시간이 흘러 이런 고요한 아침과 저녁이 오는구나. 혼자 살짝 뭉클했다. 이제 아욱국을 데우고 임연수를 꺼내 얌전히 구워야지.

한국에서 온 임연수도 말해줄 것 같다.

　내가 왔어. 멀리서 왔어. 너를 만나려고 나도 왔어. 따뜻한 하루를 보내렴. 어제도 수고했어. 오늘도 좋은 날이 될 거야. 자 또 한 번 아침이 올 거야, 좋은 시작이 될 거야, 라고.

-2013년 11월 26일

죽고 싶었던 건 우울증에 걸리기 전

　아버지는 군인이었다. 해군 시절엔 적함의 동향을 예측하는 레이다를 보았고 육군으로 전군 후엔 전방에서 적군의 동향과 적군을 파악하는 업무를 했다. 간첩을 잡는 방법은 간단하다고 했다. 간첩의 특징이 열 가지 있다고 하면 그중 여덟 가지가 일치하면 간첩이다. 아버지는 정보부대에서 일하는 만큼 신병들의 이력파악도 꼼꼼히 했다. 정보를 가지고 탈영하면 안 되기 때문이다. 그래서 철저히 신상을 파악했다.

　타인의 신상을 파악하는 방법은 예를 들면 이렇다.

종이 50장을 준다. 그리고 니 인생을 꼼꼼히 기록하라고 한다. 50페이지라면 옆집 강아지 이름까지 써야 채울 수 있는 분량이다. 그걸 제출하면 다시 쓰라고 한다. 그렇게 반복해서 쓰다보면 거짓말은 사라지고 진실만이 남는다. 인간의 뇌는 거짓말을 기억하지 못하는 본능이 있어서 거짓은 왔다 갔다 해도 진실은 늘 한결 같이 내용이 같다.

지인 중에 그런 사람이 있었다. 조신하고 얌전한 아이였다. 클럽 같은 유흥업소는 가 본 적도 없다고 했다. 몇 달 뒤 제주도 여행이 화제로 올랐다. 그는 공짜 제주도 여행을 한 적이 있는데 클럽에서 춤을 춰서 받은 티켓이었다고 자랑을 했다. 그런 사례들을 보며 인간의 거짓말이 얼마나 허술한지 아버지가 부대에서 쓰는 방법이 얼마나 치밀한지 납득이 되었다.

문제는 아버지가 그 방법을 내게 썼다는 것이다. 군인 아버지 덕에 나는 남해에서 전방까지 두루 이사를 다녔다. 그중 하필 청소년기에 미군부대가 머지않은 도시로 이사를 했다. 운동장에서 땅따먹기나 하던 소녀가 냉기가 도는 날이 흐린 초겨울 이삿날, 붉은 등 아래에서 드레스를 입고 남자들을 유혹하는 여성들을 보았다. 그 붉은 빛은 정육점의 조명과도 비슷했다. 사람이 정육점 조명아래 자신을 판다는 사실이 강한 충격으로 남았다. 학부모 중에는 포주도 상당수였다.

중고등학교를 그런 도시에서 자라야했기 때문에 아버지는 무남독녀 외동딸인 나의 신변에 강박이 있었다. 해가 지기 전에 집에 들어가야 했고 10분이라도 늦으면 내 사진을 들고 피자집에 가서 이런 애가 정말 왔다 갔느냐 확인을 했다. 정해진 각도로 접힌 수건은 아래에 놓인 것부터 쓰고, 물은 최대한 아껴 쓰며 난방온도는 18도 위로 올라가선 안 됐다. 군인의 자녀는 군인의 틀에 갇혀 자랐다. 내가 만일 남자였다면 아버지를 이겨보고 싶다는 생각을 했을지도 모르겠다. 하필 나는 여자애여서 아버지의 힘과 정보 파악 능력을 감당할 수 없었다. 어머니도 방패막이는 되어주지 못했다.

마음이 황폐화되는 과정을 사춘기 내내 거쳤다. 칭찬과 인정보다 감시와 추궁에 익숙해서, 살아서는 이 감옥에서 벗어날 수 없다고 믿었다. 아버지가 살아있고 내가 살아있는 한 이 뒤틀린 관계는 바로 잡을 수 없을 것 같았다. 죽지 않으면 끝나지 않을 것 같았으나 오로지 살 이유라고는 아버지의 체면과 어머니의 심약함 때문이었다. 철없고 반항적인 소녀는 자식이 죽으면 아버지가 얼굴을 들고 살 수 없을 거라고 생각했다. 어머니는 더욱 쇠약해져 건강을 잃을 것이 뻔했다.

친구는 가출을 권했다. 전교에서 가장 공부를 잘하는 똑똑한 아이였다. 고등학생이라 해도 아직 판단이 미숙할 나이, 나의 사정을 말하면 자기 부모님이 불쌍해서 나를 거둬줄 거라 했다. 낭만적인 제의였지만 넘어가지 않았다. 그때는 주유소에 가출 청소년을 채용하던 시기였다. 남녀가 혼숙하는 숙소도 제공했다. 친구들은 주유소로 가출하라고 권하기도 했다. 하지만 몇 년을 못 참아서 나락으로 갈 수는 없었다. 스무 살 까지 버티자. 그리고 이곳을 벗어나자. 내 인생을 찾아가자. 지금 내 몸이 있는 이 도시가 아니라 내가 갈 도시에 내가 있다고 생각하자. 대학에 가면 유토피아가 나타날 것이다. 이 지긋지긋한 붉은 도시에서 벗어날 수 있을 것이다, 그때까지는 내 인생을 스스로 망칠 수 없다, 오기로 버텼다. 오기는 꺾이지 않는 강한 희망이 되었다. 어른이 되어 내 인생을 찾을 수 있는 나이가 되면 지금과는 다른 삶을 살 수 있다고 꿈꿨다. 그래야만 했다.

생각해보면 소아시절부터 우울씨는 나를 따라다녔다. 어머니는 지금 몹시 후회하시지만, 어린 시절 엄마에게 빗자루로 흠씬 얻어맞고 나면 어린 나는 극도의 우울과 절망에 빠졌다. 세상에 아무도 나를 도와줄 사람이 없다는 절망을 사실이라 믿었다. 부모도 나를 지켜주지 않는데 내가 무슨 가치가 있지. 내가 살아야하는 이유가 있나. 아주 어린 시절, 죽음을 처음 생각했던 나이는 일곱 살이었다. 나의 자존감은 가정에서 채워지지 못했기에 당연히 외부로부터 가져와야 했다.

방송작가, 10년 중 1년을 자지 않는 삶

대학은 별 것 없었다. [굿 윌 헌팅]에 나오는 멘토나 [죽은 시인의 사회]에 나오는 키팅 선생님 같은 분은 없었다. 입학 첫날, 화장실에서 립스틱을 바르며 한 동기가 말했다. "나는 원래 스카이에 갔어야 했어." 그 아이의 한마디에 내 대학생활의 기대는 산산조각이 났다. 이곳이 붉은 도시와 무엇이 다른가. 나는 유토피아를 꿈꾸고 서울에 왔다. 학생들은 적당히 공부했고 교수님들도 적당히 가르쳤다. 물론 내가 적응을 그다지 잘 한 편이 아니어서 이렇게 생각할 수 있다. 대학에 제대로 마음을 붙이지 못한 나에게 관심을 가져주는 여유를 세상은 베풀지 않았다. 대학이 아닌 다른 유토피아를 찾아야 했다. 그곳이 바로 방송국이었다. 그럴 듯하게 세상에서 인정받고 싶었다. 이는 내 낮은 자존감의 반증이었다.

죽도록 일했다. 10년을 기준으로 1년은 잠을 자지 않았다. 방송국은 멋있었다. 특히 KBS에 일한다는 사실이 큰 자부심이었다. 식당에서 밥을 먹을 때도 카페에서 커피를 마실 때도 가게에서 옷을 살 때도 2500원의 시청료를 납부하는 옆 손님들에게 미안해했다. 세상 모든 사람에게 빚을 지고 사는 기분이었다. 그래서 악착같이 일했다. 부끄럽지 않기 위해.

단 한번, 몇 개월 일을 쉰 적이 있다. 자기생각에 갇혀 빠져나오지 못하고 있을 때였다. 내가 왜 방송을 만들어야 하는가. 나보다 훌륭한 작가가 만들어야 하는 것 아닌가. 시청자들은 나 때문에 질이 떨어지는 방송을 보는 것이 아닌가. 세상 모든 사람에게 죄를 지고 사는 기분이었다.

몇 달의 칩거 후 결론을 냈다. 그들에게 부끄럽지 않

은 작가가 되어야 한다고 다시 다짐했다. 철없던 내가 철없는 신조를 만들었다. 세계에서 가장 뛰어난 작가는 못될 지라도, 대한민국에서 가장 뛰어난 작가는 못될 지라도, KBS에서 가장 뛰어난 작가는 못될 지라도, 이 프로그램에서 가장 훌륭한 작가는 못될 지라도 같이 일하는 PD 당신, 당신이 일했던 작가 중에서는 가장 열정적인 작가가 되겠다. 내가 가장 뛰어나지는 못해도 가장 열정적인 작가는 될 수 있다, 였다.

할 일을 메모하고 마지막 일정에 밑줄을 그어도 밤에 집에 가지를 못했다. 빠뜨린 게 있을까봐 아직 찾아내지 못한 자료가 있을까봐 걱정했다. 이번 아이템이 흡연의 폐해라면 구글에서 검색해 나오는 100페이지의 모든 기사와 논문을 읽었다. 그래도 성에 차지 않았다. 국내외 논문과 모든 책과 온갖 자료를 책상 위 빈 자리가 없게 쌓아놓고서도 아직도 못 찾아낸 정보나 사실과 다름이 있을까 불안해했다. 퇴근이 두려웠고 잠을 자도 꿈속에서 일을 했다.

그런데 그런 불안 속에서도 가슴이 터질 듯한 행복을 느꼈다. 세상에 이바지하는 것 같았다. 그러다 어쩌다

지작가, 어제 원고 좋았어, 라는 말을 듣기라도 하면 세상 어떤 부자도 어떤 행운도 부럽지 않았다. 그래서 늘 고개가 뻣뻣했다. 나의 경쟁상대는 같은 프로의 또래의 작가 아니라 기라성 같은 선배작가들이었다. 좀 더 빨리 좀 더 열심히 그들을 따라가야 한다. 더 뛰어난 작가가 돼야 한다. 스스로를 다그쳤다. 스스로에게 가장 혹독하게 구는 사람이 나 자신이었다. 나는 나를 위로하지 않았다. 달래주지도 않았다. 이렇게 일하다 원고를 쓰는 어느 밤에 죽는 것이 소원이었다. 그렇게 까지 열심히 산 삶은 아무나의 것이 아닐 것 같았다. 그 배경에는 내 불우한 성장시절이 있었고 부모에게 칭찬받지 못한 어린아이가 있었다. 이 사실을 그때도 알았었더라면 나는 진짜 행복이 무언지 느끼며 일했을 텐데, 사람들에게 좀 더 친절했을 텐데. 건강을 덜 해치고 살 수 있었을 텐데. 시간은 지나고 후회만 남았다. 젊은 시절 몸을 혹사시켜 나이든 지금 그 대가를 치르고 있고 불안의 결과로 공황장애 약을 먹으며 불안을 다스리고 있다. 강박증과 불안장애 역시 우울씨의 다른 얼굴이다.

'모나가 나를 좋아해주는데 나도 나를 좋아해봐야지.'에
까지 마음이 확장되었다. 우울씨는 반박하지 못했다.
우울씨는 2.5kg의 모나보다 약했다.
모나와 함께 웃을 때만큼은 우울씨가 집에 있지 못했다.
모나는 힘이 셌다. 우울씨보다도. 지금 나는 모나 덕에 살아있다.

Chapter 3

인간답게 살기 위해 발버둥을 치다

오픈하우스

나는 누구인가. 이 질문에 유시민 작가는 인문학이 던진 잘못된 질문이라 했다. 나는 누구인가를 알기 전에 우리는 누구인가. 인간은 어떤 종인가, 부터 선행돼야 한다고 했다. 나는 의미가 없다고, 내가 누군지 어떻게 감히 알 수 있냐고, 의미를 만들어 가는 것만이 내가 누구인지를 말해주는 답이라고 했다.

병세가 조금 좋아진 날엔 무언가를 하고 싶었다. 사람으로 할 만한 일을 찾고 싶었다. 내 몸을 움직일 수도 없는데 무슨 일을 할 수 있을까 고민했다. 그러다 누군가의 이야기는 들을 수 있을 듯 했다. 일본에 와서 마음이 고단해진 사람들의 한국말은 충분히 듣고 위로해줄 수 있지 싶었다. 그래서 일본 살이 카페에 광고를 했다. 이야기할 대상이 필요한 분, 집을 나가버리고 싶은데 갈 데가 없는 분은 나에게 전화하고 우리 집에 와서 자고 가라고 했다.

남편에게 먼저 동의를 구했다. 거의 일본에서 자란 남편은 집 안에서 손님을 맞아본 적이 별로 없었다. 집도 나 혼자 쓰는 공간이 아니었다. 남편의 동의는 당연히 필요했다. 남편의 허락을 받아 광고를 올린 지 얼마 되지 않아 사람들에게 연락이 왔다. 대부분 불행한 결혼생활에 대한 사연이었다. 이혼이라는 험난한 과정 중에 있는 사람, 어느 날 갑자기 남편으로부터 이혼을 통보받은 사람, 고통 중에 있는 사람들이 우리 집을 찾았다. 우리 집은 1층과 2층에 화장실이 있었는데 2층은 보통 내가 누워 지내는 공간이므로 잘 곳이 필요한 사람에게는 1층 안방을 내주었다. 밥도 해주고 좀 더 보살펴주면 좋았겠지만 이야기를 들어주는 것만이 그들에게 내가 할 수 있는 최선이었다.

오해를 사기도 했다. 고통 중에 있는 사람에겐 조언을 삼가야하는데 당시는 돕고 싶다는 마음만 앞섰다. 이러면 어떨까 저러면 어떨까 괜한 소리를 했다가 상대에게 상처를 주기도 했다. 여전히 나는 서툴렀다. 물론 반갑고 고마운 사람도 있었다. 내가 우리 집을 오픈하우스로 열었다고 하자 목욕제품, 직접 구운 빵, 떡 등을 선물로 보내왔다. 그래 이것 봐. 사람에게는 늘 따듯함이 있어. 남을 돕고 싶어 하는 착한 마음이 있어, 위로를 받았다.

다만 그들은 나를 좋은 사람으로 보아주었는데 그건 꽤 부담스러웠다. 단지 나는 내가 할 수 있는 일을 하는 것뿐이었다. 혹시라도 나를 좋은 사람으로 여전히 알고 있는 사람이 있다면 지금이라도 그러지 말라고 말하고 싶다. 나도 그들이 필요했다. 사람으로 느껴지기 위해 절실히 그들을 이용했다. 단지 도구로 생각하지 않았을 뿐이다.

관계가 인간을 황폐화 시킨다. 먼 데 있는 사람은 영향력이 없다. 가까이 있을수록 영향력이 크다. 그들은 타인이었지만 나와 이야기할 때만큼은 절친한 친구였다. 아무에게도 드러내지 않은 치부를 드러내고 눈물을 보이는 친구였다. 일회성 만남이 많았지만 나는 그들로 인해 인간다움을 공급받았다. 누워서 핸드폰을 들 수 있는 체력이기 때문에 가능했다. 많이 좋아졌다는 증거이기도 했다.

나의 모든 것, 모나

아픈지 몇 달 되지 않아 늘 혼자만 있는 거실이 쓸쓸해졌다. 오후에 눈을 떴을 때, 얕은 낮잠에서 다시 떴을 때, 눈을 깜빡일 때 마다 끊임없이 혼자임을 확인했다. 결혼 전 반려견을 오래 키웠기 때문에 강아지를 입양하고 싶었다. 남편도 동의해 주었다. (최근에 알게 되었는데 남편은 강아지를 좋아하지 않았다고 한다)

주말마다 우리 부부는 애견샵을 돌아다녔다. 유기견 입양이나 가정 분양은 쉽지 않았다. 언제든 버리고 떠날 수 있는 외국인으로 인식하기 때문이었다. 어딘가 우리 강아지가 있을 텐데. 도대체 어디에 있을까. 만나면 한눈에 우리 강아지임을 알아보지 싶었다. 수백만 원의 예쁜 강아지들이 많았지만, 그 아이들은 우리 강아지가 아니었다. 우리는 집에서 한 시간 정도 운전해야 갈 수 있는 후추시까지 강아지를 찾으러 갔다.

후추시의 한 애견샵에서 모나를 만났다. 모나는 꼭 나 같았다. 황색의 단모 치와와. 아무도 거들떠보지 않는 종. 모나는 구매자가 없어서 일본 여기저기를 떠돌아다니고 있었다. 우리나라로 치면 부산 정도 되는 바닷가 도시 나고야에서 모나는 태어났다. 나고야에서 안 팔리자 결국 일본을 횡단해 작은 도시 후추까지 쫓겨왔다. 후추의 애견샵에서 3개월을 꼭 채운 모나는 유리벽 안에서 놀고 있는 발랄한 강아지들과 달랐다. 똬리를 틀고 잠만 잘 뿐이었다. 사람이 가까이 가면 희망 가득 찬 눈빛으로 상대를 보다가 사람이 지나가면 체념하고 다시 머리를 품에 묻었다. 그리고 내내 잠을 잤다. 이미 꽤 커버리고 못생기기 그지없어 아무도 데려가지 않는 모나. 몇 백만 원 하는 강아지들 사이에서 모나는 80만 원의 가격이 매겨져 있었다. 우리는 모나를 보자마자 데려왔다.

　모나를 품에 안고 집에 돌아오던 그 밤이 선명하다. 모나의 심장은 세차게 뛰고 있었고 덜덜 떨면서도 창밖의 풍경을 신기해했다. 우리 집 거실에 내려놓았더니 여기 저기 냄새를 맡고는 우리 부부와 장난을 쳤다. 우리의 위대한 모나는 배변도 두 번의 가르침 만에 가리고 손도 10분 만에 배웠다. 이렇게 못생기고 아름다운 강아지가 있다니. 나는 황홀했다. 모나는 내 곁에서 24시간 떠나지 않는 친구가 되었다. 지금까지도 모나는 내 인생 최고의 친구다.

　모나에게 모든 애정을 쏟았다. 모나는 나 자신이었다. 한국인이 키워 일본어를 할 줄도 모르고 낯선 사람의 방문도 무척이나 좋아했다. 잠이 많았고 놀기도 좋아했다. 나는 모나가 있어서 살 수 있었다. 모나를 품에 안고 모나의 작은 심장박동을 듣고 있으면, 모나의 숨소리를 듣고 있으면 사랑으로 우주가 꽉 차는 것 같았다. 다만 죄책감은 아픈 사람의 친구가 되었다는 점. 더 좋은 집에 갔더라면 더 많이 뛰어놀고 산책할 수 있었을 텐데. 그 죄책감은 지금도 있다. 나중에 천국에서 모나를 만나 말이 통하게 되면 진심으로 사과할 생각이다.

　우리 가정은 모나를 자식처럼 키웠다. 남편은 모나를 산책시키느라 14kg이 빠지기도 했다. 나는 모나에게 바깥공기를 쐬어주기 위해 3층 옥상이라도 기어 올라가야 했고 집 앞 작은 마당이라도 기어 내려가야 했다. 느리게 느리게 나는 모나 덕에 나아지고 있었다. 몸과 마음 전부 말이다. 설사 내가 죽는다 해도 모나만은 살리고 싶은 부모의 마음을 모나에게 가졌다. 이런 무조건적인 사랑의 체험은 처음이었다. '모나가 나를 좋아해주는데 나도 나를 좋아해봐야지.'에 까지 마음이 확장되었다. 우울씨는 반박하지 못했다. 우울씨는 2.5kg의 모나보다 약했다. 모나와 함께 웃을 때만큼은 우울씨가 집에 있지 못했다. 모나는 힘이 셌다. 우울씨보다도. 지금 나는 모나 덕에 살아있다.

사랑은 기다림이다

모나는 봄에 왔고 세 번의 계절이 지났다. 겨울이 되고 우리 세 식구는 따듯한 이층에서 함께 잔다. 1층이 너무 추워 남편도 2층으로 올라왔다.

모나는 우리 집에 와서도 혼자 자기를 좋아했다. 강아지답지 않게 쓰다듬는 것도 별로 좋아하지 않는다. 한 달 때 어미와 떨어져 두 달 간 유리창 안에서 혼자 살았던 유년의 기억. 그 기억이 얼마나 크길래 아직도 모나는 마음을 다 열지 못한 걸까. 그동안 좁은 유리벽 안에서 내가 찾아와주기를, 자신의 처지를 알아주기를 얼마나 기다려왔을까. 자기보다 1m 50cm는 너끈히 더 큰, 건물 높이의 인간들 아래에서 모나의 시선은 어딜 향하고 싶을까. 모나에 대해 더 알고 싶다. 모나가 무서운 것은 무엇일까. 모나의 상처는 얼마나 깊을까.

그러던 모나인데 겨울이 되자 우리 부부 사이에서 자기 시작했다. 제 집에 콕 박혀 나오지 않던 모나가 요즘 거실에 나와서 자기도 한다. 웅크리고 자는 버릇을 버리지는 못했지만, 좀 더 마음이 열리면 제 집 안에서처럼 팔다리 쭉쭉 뻗고 배를 뒤집고 잘 수 있을 것이다. 나는 모나를 기다려야 한다. 모나를 강제로 안지 않고 모나가 먼저 내게 와주기를 기다려야 한다.

자세히 관찰하지 않으면 나는 사랑이라 하지만 상대에게는 폭력이 될 수 있다. 움직임 없는 꽃 한 송이라도 언제 물을 줘야 하는지, 해를 좋아하는지 싫어하는지, 여름 햇볕에 놔뒀다가는 화상으로 잎을 다 잃을 수도 있다는 것도, 공부하고 관찰해서 알아내야 한다. 가만히 움직이지 말고, 시간을 신경 쓰지 말고 고대로 앉아 있어야 한다. 보고 듣고 냄새 맡고 꽃봉오리가 생길 때까지 수년의 착오를 겪어야 한다. 그 포기하지 않음이 사랑 아닐까. 늘 제자리에서 지켜보고 주시하고 경청하고 반응을 기억해두는 것이, 사랑의 형상 아닐까.

난 여기서 모나는 내 옆에서 남편은 모나 옆에서 단잠을 잔다. 모나가 알아서 나와 주기를 기다리는 태도가, 강제로 끄집어내지 않고 바라만 보는 시선이 사랑 같다. 목이 간지럽다 말하면 당신 감기가 오는 구나라며 나도 모르게 알아차리는 것이, 그것이야 말로 격렬한 사랑이 아니고 무어란 말인가. 고통의 시간을 이길 만큼 강한 것이 사랑 말고 무엇이 있단 말인가. 모나를 통해 사랑을 배운다. 내가 있어야 할 자리에서 배워야 할 마땅한 기다림을 배운다.

덧. 성경에, 아내는 남편에게 복종하고 남편은 아내를 사랑하라는 말이 있다. 그러나 복종이란 해석은 그르다. 히브리어의 원뜻은 '제 자리에 있다'이다.

-2013년 12월 23일

인생의 문단정리

분홍색 단독주택에서 4년 3개월을 살았다. 2012년 3월에 이사를 와서, 바로 4월에 자리에 누웠다. 급하게 나빠졌고, 급하게 좋아지기도 했다. 오기를 갖고 용을 쓰면 좋아졌다가 다시 드러눕기를 반복했다. 그렇게 몇 번의 후퇴를 겪고 조금씩 조금씩 좋아졌다. 2016년 결혼기념일, 남편은 후지 산의 호숫가에서 약물치료가 끝나면 꼭 졸업장을 만들어 주겠다고 약속했다.

의사는 투병을 위해 환경을 바꿀 것을 권했다. 따뜻한 나라로 이민을 가면 빨리 좋아질 거라 했다. 이민까진 엄두를 내지 못했고 이사를 하기로 했다. 무려 일 년 반에 걸쳐 집을 구했다. 강아지가 있고 외국인이기 때문에 쉽지 않았다. 오랫동안 발견되지 않은 변사체가 있던 집도 가보았다. 하지만 너무 비쌌다. 쉽게 집이 구해지지 않자 마지막엔 계단이 없어야 한다 등등의 몇몇 조건을 포기했다. 마음이 허전했고 착잡했다. 그런데 조건을 바꾸자 거짓말같이 한 집이 부동산 사이트에 검색됐다. 당장 집을 보러가겠다고 하고 옷을 주워 입으며 말했다. "그 집 우리 집이야! 우리 집이야!" 근거는 없지만 확신이 들었다.

후보지에도 없던 낯선 동네에 가서 집을 보았다. 역시 우리 집이었다. 왜 이 집인지 곧 이해가 되었다. 혼자 중얼거리던 작은 소원들이 그 집에 선물로 있었다. 기도할 수 있는 작은 창고, 바느질 할 수 있는 반 지하 작업실, 통증을 재우기 위한 깨끗한 욕조까지. 부동산 사장님에게 남편이 말했다. "이 집이 왜 안 찾아졌을까요. 부동산 사이트를 아침저녁 마다 봤거든요." 부동산 사장님이 말했다. "무슨 말씀이세요. 이 집은 작년 10월에 나왔는걸요. 사이트에 계속 올라가 있었어요. 그런데도 반년이나 안 나가고 있었지요."

반년이나 기다리고 있었다. 우리가 마음을 바꾸고 좋은 조건들을 포기할 때 까지 반년이나. 반년 전에 보았다면 무시했을 테니까. 우리가 불을 켜줄 때 까지 집은 혼자 기다리고 있었다.

원래 게으르고 정적인 천성이 있어서, 아파도 낙담하지 않았다. 아프면 자고 괜찮으면 놀았다. 큰 결핍을 느끼지는 못했다. 투병 4년째가 되서야 무너졌다. 일본은 알면 알수록 한국과 달랐고, 체계와 책임과 통제가 중요한 나라임을 알게 되었다. 프리랜서로 정말 프리하게 살던 나에게는 이 나라의 규칙과 관습이 너무 무거웠다. 답답함이 쌓여 차곡차곡 꽉꽉 들어찼다. 그래서 터닝 포인트를 만들고 싶었는데, 내가 원하는 집이 나오질 않았고, 바람들을 억울해하며 내려놓자 집이 나타났다. 일 년 반의 시간이 그래서 걸렸구나 알게 되었다. 내가 포기하도록 신이 인내한 시간이었다.

일본에는 이사 가난뱅이라는 말이 있다. 이사하는데 돈이 많이 들어 하는 말이다. 옆집 할머니는 포장이사를 하는데 천만 원이 들었다. 우리는 직접 짐을 싸는 편이 낫겠다고 판단했다. 이삿짐 업체는 토요일에 짐을 빼고 일요일에 짐을 넣어주는 일만 한다. 그런데도 백오십만 원이나 든다.

남편과 둘이 며칠 동안 짐을 쌌다. 일단 자잘한 것들만 상자에 담았다. 화장품, 책, 그릇⋯⋯. 그런데 집에서 소리가 울린다. 빈집에서 나는 것처럼 목소리가 울린다. 가구도 가전도 다 제자리에 있는데 살림살이 몇 박스를 치웠다고 소리가 울린다. 짐을 조금 정리했을 뿐인데 남편의 목소리도 내 목소리도 커졌다. 울림이 생기다니 신기했다. 겨우 이 정도 문단을 나누었을 뿐인데, 서로의 목소리가 참 잘 들리는구나. 비운 공간엔 사람의 목소리가 채워지는구나. 비우면 상대에게 집중하게 되는구나.

물건을 정리하며 서로를 모르던 시절의 추억을 공유했다. 이건 버려야 하나 가져야 하나. 어떻게 생각해? 판단이 어려울 땐 서로의 옛이야기를 들었다. 가지고 갈지 버리고 갈지 수백 개의 결정을 하며 물건 하나를 두고 한 시간씩 앉아만 있기도 했다. 중학생 때 쓰던 거울도 이십 년 지기 친구의 선물도 있었다. 마흔이 될 때

까지 꾸역꾸역 들고 온, 아직도 버리지 못한 미련들.

사십 년간 가지고 다닌 짐이 이렇게 많은지 몰랐다. 멍하니 살다 짐을 정리하려고 보니 많아도 너무 많다. 버리지 못한 짐이 빼곡히 쌓여있다. 너무 오래 담아두고 살았다. 버리지 않으면 그 시간이 머물러있는 것 같아서 여기까지 왔다. 빨리 놓아줄 걸. 과거만 바라보다 간 지금을 놓치는데.

여전히 가지고 있는 짐들이 있다. 언젠가는 버려야 함을 안다. 모든 물건에 내가 정한 수명이 있다는 걸 안다. 묵은 걸 비워야 새로운 것이 온다는 걸 안다. 버리지 않은 물건이, 인연이, 감정이, 울분이, 내 책임이라는 걸 안다. 비워야 나아갈 수 있다는 걸 안다.

-2016년 7월 2일

어느 날 갑자기 병이 나았다

이케부쿠로를 또 찾았다. 이주에 한번이었다가 이제는 한 달에 한번으로 줄었다. 처음에는 커다란 쇼핑백에 하나 가득 약을 받아왔다. 내가 가지 못할 정도의 컨디션이면 남편이 혼자 가서 처방 받았다. 그러다 매달 병원에 남편과 같이 가게 되었고 약은 비닐 봉투에 담길 만큼 적어졌다. 주치의는 뜬금없이 말했다. "이제 약을 끊을 수 있을 것 같군요." "네? 뭐라고요?" 남편과 나는 서로를 마주 보았다. 이게 무슨 말이지. 약을 끊는다니. 의사는 웃으며 말했다. "축하합니다."

2012년 4월에 치료를 시작했고, 2016년 10월이 되었다. 4년 반이 지났고 그 사이 온갖 증상에 시달리며 한 계절 한 계절을 버텼다. 총 열아홉 번의 계절. 다섯 번의 봄과 다섯 번의 여름과 다섯 번의 가을과 네 번의 가을. 내가 나았다니. 내가 약을 끊는다니. 지금도 돌아보면 투병시기가 아니라 이 날의 기억이 눈물 나게 한다.

　섬유근통증은 난치병이기 때문에 나았다고 하면 잘 믿지 않는다. 심지어 의사들도 믿지 않는다. 진단을 어디서 받았느냐 어떤 약을 먹었느냐 꼬치꼬치 물어본다. 그러면 나는 어떻게 나았는지 방법을 알려준다. 듣고 난 의사들의 표정은 다 똑같다. 벽을 보며 '제정신 아닌 환자가 헛소리를 하고 있군.' 싶은 얼굴이다.

　병이 나은 방법은 대단하지 않다. 사람들에게 방법을 알려주어도 금방 화제가 바뀌는 건 정말 소소한 방법이기 때문이다. 뼈를 깎는 고통을 감내하며 무언가를 했다거나 무얼 꾸준히 먹었다거나 산속으로 들어가 요양을 했다거나 하는 거창하다면 거창할 수 있는 방법이 아니었다.

　비결은 이렇다. 어느 날, 타자에게 의지 하지 않고 스스로 할 수 있는 일이 뭐가 있을까 고민했다. 타인의 도움 없이 스스로 인간다움을 되찾고 싶은 욕망. 인간으로서 내가 할 수 있는 일이 무엇이 있을까.

2015년 여름, 문득 바늘 하나는 들 수 있겠다 싶었다. 몇 그램 안 되는 바늘이라면 철로 만들어져 있어도 들 수 있다. 얇은 천조각도 들 수 있다. 그래서 바느질을 시작했다. 기왕이면 일본에서 우리나라 문화를 접해보자 해서 전통 바느질을 택했다. 바로 색색의 모시를 주문했다. 아름다운 모시천을 3cm, 5cm로 살살 잘라 퀼트처럼 이어 붙였다. 한 땀 한 땀 정성을 다 했다. 그해 겨울엔 통증도 잊고 부모님 댁에 4인용 식탁보를 전통모시로 만들어 드렸다.

하다 보니 욕심이 났다. 한국에 방문했을 때 친구의 도움으로 광장시장을 찾았다. 원 없이 모시와 비단을 샀다. 기분이 너무 좋아 가만히 있을 수가 없었다. 한복집에 부탁해 한복을 짓게 도와달라고 부탁했다. 상당한 수강료였지만 상관없었다. 내가 일어나 움직이고 있다니. 한복 천을 사러 광장시장을 돌아다니고 한복을 지으러 북한산 자락에서 남편 도움 없이 한 달 살기를 시도하다니. 내가 원하는 디자인으로 내가 원하는 색감으로 멋진 양단 한복을 원 없이 한 벌 지었다. 그 한복을 입고 친척의 결혼식도 휠체어 없이 걸어갔다. 공항에 마중 나온 어머니가 내가 휠체어를 타지 않고 걸어 나오는 모습을 보시더니 펑펑 울었다. 네가 혼자 걸어 나오다니. 네가 걷다니.

전심을 다한 취미는 통증을 잠재웠다. 바느질을 하는 동안 두 팔과 어깨와 등에 파스로 도배를 했지만 상관없었다. 파스를 붙이고 걸을 수 있었다. 한복을 입고 교토 여행도 하고 한복을 입고 시동생의 결혼식에도 갔다. 신은 참 재미있는 분이구나 생각했다. 어떻게 낫게 하셨지. 이렇게 엉뚱한 방법으로. 시간을 잊고 즐거움에 빠져 있다 보니 통증이 저만치 있었다. 우울씨도 저만치 서서 더 이상 말을 걸지 않았다. 살아있다는 자유를 느꼈다.

최고로 상큐!

감사합니다. 결혼하고 처음으로 생일날 외식을 했습니다. 좋은 레스토랑에 가서 맛있는 밥을 먹었습니다. 별 것 아닐 수 있는 작은 이벤트가 크게 다가왔습니다.

약물치료가 끝났습니다. 한 달 반이 되었고 한 달 사이 급속하게 건강해져서 이래도 되나 싶을 정도입니다. 그간 못했던 것들을 다 하고 싶어서 매일 매일 집밖을 싸돌아다닙니다. 장을 보고 쇼핑을 하고 외식을 하고 사람들을 만나고 모든 하루가 새롭습니다.

아프고 나서 못 먹는 것들이 많았습니다. 이년쯤 지

나서인가, 어느 봄 날 이었던가, 가을이었던가 싶은 밤, 남편에게 편의점에서 커피를 하나 사다달라고 했습니다. 남편은 저를 차에 태워서 드라이브를 갔습니다. 편의점에서 남편이 따듯한 커피를 하나 사다주었고, 저는 차창을 내렸습니다. 바람이 산뜻했고 커피향이 좋았습니다. 너무 맛있었습니다. 그때 "아 이제 더는 소원이 없다!" 라고 말했던 것 같습니다. 커피를 못 마시는 것은 아무 일도 아니지만, 일상의 모든 것으로 부터 거절당한 시간 뒤에 마실 수 있게 된 커피 한잔은 큰 행복의 상징이었습니다.

버스를 타고 어딘가로 가고 누구를 만나고 식당에서 밥을 먹고 차를 한잔 하고, 돌아오는 길에 소소한 충동구매를 하고 집으로 들어가기 아쉬워 동네 영화관에 들어가 심야영화를 보고. 예를 들어 이런 일상이 불가능했기 때문에, 지금의 하루하루는 정말 신기한 나날입니다. 남편과 외식을 하면서도 신기해하고, 혼자 약속장소에 나가 사람을 만나는 점심식사도 신기하고, 자전거를 타고 전철 한정거장 거리쯤 싱싱 달려 다녀오는 외출도 신기하고, 밤에 잘 자는 이상한 증상도 신기하고 암튼 다 신기합니다. 마치 영화 [시티 오브 엔젤]에서 보던 천사의 기분이 이럴까 싶습니다. 촉각도 미각도 없던 천사가 인간이 되어 포옹을 하고 밥을 먹으며 매일 보던 풍경인데도 놀라고 새로워 흥분에 휩싸이는. 마치 그런 날들을 겪고 있습니다. 자전거를 타고 교회를 다녀온 다음날 아프지 않고 멀쩡하게 일어났습니다. 나도 남편도 눈이 동그래졌습니다. 이야 신기하다! 진짜 신기하다!

사는 건 힘듭니다. 힘든 것 중에 가장 힘든 게 사는 거일 듯합니다. 죽으면 쉽습니다. 죽지 않고 사는 게 힘듭니다. 그래서 그 힘든 하루하루와 시간시간 사이, 누리고 있는 것들을 많이 잊기도 합니다. 때문에 이 일상의 감격을 전하고 싶은데 딱히 방법을 모르겠습니다. 마치 걷지 못하던 사람이 어느 날 걷게 되었을 때, 보지 못하던 사람이 보게 되었을 때, 세상은 똑같지만 달라진 건 자신뿐이지만 감격은 어디에도 비할 수 없는 것과 닮았달까요. 누구나 걷고 누구나 보지만 그게 얼마나 대단한 것인지 잊고 살 듯 당연하게 누리는 "모든" 일상이 사실은 엄청난 행운은 아닐까 하는 생각이 듭니다.

남편에게 투병 졸업장을 받았습니다. 드디어 받았습니다. 마치 내가 다 한 일같이 칭찬해 주었지만 실은 제가 혼자가 아니었기에 가능했습니다. 모든 사람들에게 걱정을 끼쳤고 도움을 받았습니다. 사실 가장 칭찬받아 마땅한 사람은 남편일 겁니다. 그리고 날 늘 위로해준 모나도. 기도해준 모든 분들도. 어떤 형태로든 도와주신 모든 분도.

마치 수상소감 같네요.

제가 혼자였다면, 상황은 달라졌을 겁니다. 확신합니다. 더 나빴을 겁니다. 당연합니다. 날 위해준 당신이 아니었다면 내가 어떻게 살아남았겠습니까. 당신을 생각하면 고마움에 마음이 저립니다. 아프고 예민하고 철없는 나를 지켜봐줘서 고맙습니다. 인내해줘서 고맙습니다. 나와 같이 근심해주고 나를 위로해줘서 고맙습니다. 덕분에 나는 나았습니다. 아니, 살았습니다. 지금 읽으시는 분 중에 아마도 나는 아니야 고마운 누군가가 있나보군, 이라고 생각하신다면 틀렸습니다. 당신에게 드리는 이야기입니다. 그래서 하고 싶은 말은, 두 번이고 세 번이고 계속 하고 싶은 말은, 고맙습니다, 입니다.

졸업증서

사랑하는 아내 지현주 귀하

당신의 불굴의 정신과
노력과 신앙을 높이 칭찬하며
긴 투병생활을 졸업한 것을
여기에 증명합니다

당신을 사랑하는 남편

덕분입니다. 정말 고맙습니다. 열심히 살겠습니다.

　조촐한 저녁식사 자리를 갖으며 남편이 오늘의 테마는 상큐라고 했습니다. 땡큐의 일본식 표현이 상큐입니다. 그래서 저도 말합니다. 여러분, 정말 상큐입니다. 오늘은 최고로 상큐한 날입니다!

-2016년 11월 9일

역대급 분노가 찾아오다

약을 끊으며 섬유근통증이 완치되었다 생각했다. 체력이 많이 떨어지지만 곧 체력이 오르면 5년 전으로 돌아갈 수 있다고 꿈에 부풀었다. 하고 싶은 목록을 만들었다. 남편의 아침을 차려줘야지, 모나와 매일 산책을 해야지, 일본어 공부를 다시 시작해야지, 뭐가 되었든 일을 하고 운동도 열심히 해서 몸짱이 되어야지, 밥도 많이 먹고 사람도 많이 사귀어야지……

약물 치료가 끝나고 얼마 뒤 모나와 산책을 나갔다. 당시는 포켓몬스터게임이 전 세계적으로 어마어마한 인기를 끌 때였다. 게임을 하지는 않았지만 얼마나 걷는지 표시가 되어 곧잘 이용했다. 포켓몬스터를 켜고 집에서 나와 삼십분을 걸어갔다가 삼십분을 걸어 돌아왔다. 모나는 상황을 다 아는 것처럼 아주 천천히 내 보조를 맞춰주었다. 한 번도 재촉하지 않고 조금씩 기다렸다가 천천히 다시 출발했다. 집에 도착해 걸은 거리를 보니 700m. 무려 700미터를 남편의 도움 없이 휠체어의 도움 없이 내 두 발로 걸었다. 집에 돌아와 남편에게 이 감격을 알렸다. 남편은 진심으로 기뻐했다. 우리 세 식구는 방방 뛰며 좋아했다. 그의 밝은 미소를 참 오래간만에 보았다.

가을에 치료가 끝났으니 겨울을 지나며 슬슬 좋아질 거라 믿었다. 하지만 겨울 내내 누워있었고 다시 봄을 기다렸다. 추위는 통증을 악화시키니까 그럴 수 있을 거야. 약을 안 먹는 것만으로도 이게 어디야. 아직 밝았다. 섬유근통증의 정체기라 여긴 겨울이 지나고 드디어 봄이 되었다.

봄이 돼도 마찬가지였다. 나는 하루의 대부분을 누워서 지냈고 간단한 외출만 할 수 있었다. 하루에 한 가지

볼 일만 가능했다. 친구와 차를 마신다면 그걸로 하루, 슈퍼에 가서 장을 본다면 그걸로 하루, 우체국에 갈 일이 있다면 그걸로 하루……. 4년 반의 치료가 끝나고 반년을 더 누워있었는데 통증만 가라앉을 뿐 상황이 크게 달라지지 않았다.

슬픔을 수용하는 다섯 단계는 부정, 분노, 타협, 우울 그리고 수용이다. 나는 수용함으로 체념했고 체념해서 우울했다. 부정이나 분노는 없었다. 사람들은 보통 나쁜 일을 겪으면 내가 왜 이런 일을 겪어야 합니까? 라는 질문을 신에게 먼저 한다. 나는 내가 뭐라고 이런 병을 앓으면 안 되나, 라고 생각했다. 내가 뭘 그렇게 잘못했나요, 도 생각하지 않았다. 잘못 없는 사람이란 없으니 나라고 예외는 아닐 터였다. 지금 와 돌아보면 이 얄팍한 진단은 스스로를 꽤 괜찮은 인간이라 믿고 싶었기 때문에 만들어낸 생각이다. 그럴 듯 해 보이고 싶어서 그 아픈 와중에도. 그 놈의 교만 때문에.

고작 겨울이 지나고 봄이 오자 왜 나는 낫지 않는가. 신에게 분노하기 시작했다. 터널을 빠져나온 줄 알았는데 다시 터널 안에 갇혔다니. 아프던 시절에도 신을 원

망하지 않았는데 두 번 째 터널에 들어가니 나의 본색
이 드러났다. 언제까지 인가. 이 고통이 언제까지 지속
돼야 신을 만족시킬 수 있을 것인가. 제대로 된 절망이
찾아왔다. 절망은 신체적인 증상으로도 나타났다. 화가
나서 이성이 마비된 상황, 숨이 너무 가파른 상태, 씩씩
거림이 잦아들지 않고 잠을 잘 수도 없는 지경. 나는 나
의 분노가 버거웠다. 하루 종일 분노한 상태로 사람이
산다는 건 불가능에 가깝다. 사람은 분노를 어떤 식으
로든 승화시킨다. 체제를 바꾸든 스스로를 상하게 하든
뭐든지 한다. 하지만 내가 일본 땅에서 할 수 있는 건 별
로 없었다. 그렇게 1년 반을 보냈다. 문제는 이 증상이
우울증이라는 사실을 몰랐다는 것. 분노도 우울씨의 다
른 얼굴이라는 사실은 치료가 시작되고도 몇 년 뒤에야
알게 되었다. 차라리 우울증이라는 사실을 알았더라면
원인을 아니 수용이 수월했을 텐데. 무식하게 지낸 세
월이었다.

마늘과 백합

　일요일에는 한국슈퍼에 들른다. 귀한 총각무가 있기에 김치를 담그기로 했다. 냉동실에는 오래된 마늘이 있다. 엄마가 키워서 껍질을 까서 EMS로 보내준 귀한 마늘. 냉동실에 넣어두고 필요할 때 요긴하게 쓴다. 작년마늘인가 올해 마늘인가 기억은 나질 않는다. 아마, 작년마늘인 것 같다. 마늘을 씻고 쫑쫑쫑 다졌다. 그러다 눈에 뜨였다. 마늘 속 파란 싹이. 겉살은 누렇게 말라비틀어져 상했는데 속은 생기가 있었다. 싹이 생생했다. 순간 칼질을 멈추고 푸른 생명을 바라보았다. 콧등이 조금 시큰해졌다.

냉동실 안, 일 년이 넘는 시간동안 영하의 기온과 빛이 없는 곳에서, 강제로 발가벗겨져 갇힌 너희들은 울지도 않고 스스로 싹을 틔웠구나. 아무도 들춰보거나 안부도 묻지 않았는데, 너희의 생사 따위엔 관심도 없는데, 썩었다면 버리지-라고만 생각하고 있었을 뿐인데도 살아있구나. 버티었구나.

지난주 백합을 선물 받았다. 수요일에 샀다했고 목요일 오후에 내게 왔다. 꽃은 목요일 밤에야 페트병에 꽂혔다. 활짝 피어있던 꽃송이는 이미 말라있었다. 물을 좀 마시면 살아나려나. 괜찮겠지 하고 잠이 들었다. 금요일에 일어나 백합을 보니 꽃다발은 싱싱해졌지만 꽃송이 하나는 완전히 회복되지 않았다. 이미 말라버린 끝부분은 여전히 갈색으로 죽어있었다. 심한 동상을 입은 손가락 같네. 내가 조금만 빨랐더라면 살아 돌아왔을 텐데. 그렇지만 향기가 꽤 진해서 이내 잊어버렸다. 다른 꽃송이들이 하나둘 피어나기 시작했고 부엌은 백합 향으로 흘러넘쳤다. 향기가 좋아 오래가면 좋겠다 싶었는데 9일째 싱싱하다. 가장 위에 있는 봉우리만 빼고. 화분도 아니고 포장된 채로 하루나 굶었으니 가장 작은 새끼 봉우리는 죽은 것 같았다. 매일매일 여러 번 확인했지만 아흐레 되는 오늘아침, 여전히 입을 다물고 있길래 포기했다.

　어둠이 내린 이른 밤, 잡지를 읽었다. 양과 목자에 대한 짧은 이야기였다. 맛있는 풀을 찾아 조금씩 절벽으로 내려간 양은 풀을 먹고 나서야 자신의 실수를 깨닫는다. 밑으로 내려가자니 낭떠러지고 위로 올라가자니 혼자 힘으론 불가능하다. 이러지도 못하고 저러지도 못하는 중에 목자가 찾아온다. 그러나 구해주지는 않는다. 다급한 마음에 양은 울어댄다. 그래도 보고만 있다. 구하려 들면 양이 버둥거리다 절벽 아래로 떨어지기 때문이다. 그래서 목자는 기다린다. 양이 지치고 힘이 모두 빠질 때까지 기다린다. 양의 힘이 모두 빠졌을 때 목자는 지팡이와 막대기를 내린다. 양이 포기할 때 까지 양과 목자의 두 개의 시선이 교차한다.

　왜 날 구해주지 않아요? 내가 죽어 가는데 왜 보고만 있어요? 내가 죽어도 괜찮아요? 정말 그런 거 에요? 라는 어린 양의 황망과 분노가 있고, 양을 살리기 위해 그

걸 다 받아주는 목자의 참음이 있다. 원망을 들으면서
도 변명은 고사하고 죽음의 공포에 떠는 양을 바라만
봐야하는 목자. 둘 다 너무 애처로웠다. 그 둘이 나이자
신인 것 같아서 마음 구석이 아팠다.

잡지를 읽고 물을 한잔 마셨다. 그리고 바라 본 백합.
향기가 거의 나지 않았다. 이제 갈 시간이 오고 있구나.
너희는. 꽃가루는 어디에도 날아가지 못했고 네 향기는
어떤 벌에게도 닿지 않았어. 그래도 조용히 잘해주었구
나. 소리 내지 않고 울지 않고 잘 견뎠어, 싶은 순간에
마지막 꽃송이가 보였다. 저녁 사이에 마지막 새끼 봉
우리가 열심히 피어 있었다. 예뻐서 살살 어루만져 주
었다. 칭찬도 해주었다. 잘했어. 고생했어. 참 대견하다.
고마워.

일본에 사는 건 쉽지 않아서, 가끔은 꽤 벅차서 말이
많이 줄었다. 오래 아프면서 오래 참았더니 눈물도 어
지간히 말랐다. 무얼 보고 들어도 가슴 속까진 오지 않
는다. 무감각이 편했다. 웃음도 줄었다. 그래도 좋았다.
잔잔했고 요동이 없었다.

그러던 오늘 저녁, 마늘과 백합을 보고는 나의 무심

이 부끄러웠다. 나는 무엇을 놓쳤던가. 무얼 보지 않기 위해 눈을 감았던가. 내가 흘려야만 했던 눈물이 있고 터트려야만 했던 웃음이 있는데. 나는 무엇을 놓쳤을까. 눈물과 웃음너머 내가 잃어버린 것은 무엇이었을까.

갖아야 했던 내 몫은 가고, 후회가 남았다. 뜨겁게 울 걸. 절망에 빠질 걸. 절벽에서 울부짖을 걸. 나 여기 있다고 살아있다고 소리 질러 울부짖었더라면, 눈물을 흘렸더라면 거친 마음대신 보드라운 마음이 여기 있을 텐데. 솔직한 외침이 나의 진심을 지켜 주었을 텐데 마음이 말라비틀어진 나만 남았다.

냉동고 안에서 싹을 틔운 마늘이 있고, 숨을 거두기 전에 피어난 꽃이 있다. 지척에 사력을 다해 살아간 생명이 있다. 너희들이 부럽구나. 내게는 그저 후회만 있는데. 오래간만에 잠들지 못하다.

-2017년 가을에 쓰다.

2018년 한국으로 돌아오다

한국으로 돌아가게 해달라고 기도한 적이 없다. 이루어지지 않을 기도는 하고 싶지 않았다. 희망에 기대다 절망의 나락으로 빠지고 싶지 않았다. 우울씨가 늘 비웃었다. "그런 기도를 하다간 너만 상처 받을 걸? 정착하겠다고 일본에 왔는데 돌아가긴 뭘 돌아가. 게다가 재일교포 남편이랑 결혼했잖아." 나는 우울씨에게 반격하지 않았다. 아니, 못했다. 우울씨에게도 내 마음을 숨겼다. 한국으로 돌아갈 수 있다면 참 좋겠다, 는 희미한 바람만 남몰래 가지고 있었다.

어느 날 남편에게 취업 제안이 왔다. 지금 직장에 만족하고 있었기 때문에 별 생각 없이 인터뷰에 응했다. 그리고는 잊어버렸다. 한두 달이 지났을까 남편의 핸드폰으로 전화가 왔다. 외국 번호였다. 그날은 남편의 생일, 우리는 동네 돼지꼬치구이 집으로 외식을 하러 나가려던 참이었다. 전화를 받으니 거짓말 같은 소식을 전했다. 합격이다, 도쿄와 서울에 사무실이 있는데 어느 도시에서 일하든 상관없다. 세상에. 뭐라고? 한국으로 돌아가도 된다고? 정말? 진짜로? 믿어지지가 않았다. 우리 세 식구는 2018년 봄. 갑작스레 한국으로 돌아왔다.

남편의 직장은 서울역 쪽이라 걸어서 출퇴근할 수 있는 동네를 찾았다. 남산 타워가 있는 작은 동네, 후암동이었다. 고도제한 때문에 아파트 재개발이 이뤄지지 못해서 옛 시대의 정취가 물씬 남아있는 마을이었다. 할아버지들이 길에서 장기를 두고 꼬마들이 놀이터에서 밤늦도록 놀았다. 누구야 그만 놀고 들어와! 라는 어느 엄마의 성난 목소리를 듣고는 피식 웃다가 하하하하 웃었다. 눈물이 찔끔 나올 만큼 감격했다. 문방구, 부동산,

세탁소, 슈퍼, 정육점은 옹기종기 모여 있었다. 재래시장도 있었다! 사장님들은 이내 내 얼굴을 기억했고 인사를 나누는 사이가 됐다. 이웃과도 수다를 떨었다. 한국 서점에 가서 한국말로 된 책을 원 없이 고르며 울기도 했다.

몸도 꽤 좋아졌다. 모나와 한두 시간의 느린 산책도 할 수 있었다. 길눈이 매우 밝은 모나는 어느 날 나를 끌고 남대문까지 끌고 갔다. 모나의 발걸음 끝에 화훼시장건물이 있었다. 일본과는 비교도 할 수 없는 가격이다. 꽃을 잔뜩 사서 집안에 꽃 천지를 만들었다. 친구들도 다시 만났다. 걸핏하면 눈물이 났다. 날이 더워지자 반바지에 쪼리를 신었다. 일본에서는 금기된 복장이다. 다리를 훤히 내놓고 맨발로 동네를 돌아다니다니! 한국은 자유였다. 나를 숨 쉬게 하는 자유가 있었다.

아프기 전에는, 일본으로 건너가기 전에는 알지 못했던 행복감들. 슈퍼에서 한국 식재료를 사고 한국말로 값을 깎기도 하고 억울함 없이 한국말로 의사소통을 하고, 가고 싶은 곳도 익숙한 대중교통으로 헤매지 않고 갈 수 있는 일상. 모든 게 감사였다. 눈을 뜨고 잘 때까지 겪는 하루의 모든 순서가 기쁨으로 채워졌다. 특히 레드리프 커피팩토리 라는 카페는 나에게 한국 적응을 크게 도와주었다. 카페 여사장님은 내가 꽃을 좋아한다는 걸 알고 남대문에서 꽃을 사서 우리 집 앞까지 찾아와 생일 선물로 주기도 했다. 나는 레드리프에 앉아 사람들을 보고 이야기 나누며 7년의 일본 생활 동안 익숙해진 그곳의 관습을 어렵지 않게 벗었다. 매일 카페를 드나들며 동네 친구를 사귀었다. 서로 음식과 선물을 주고받고 수다를 떨었다. 나는 한국에 돌아와 회복하고 있었다.

행복에 취하다

일본은 꽃값이 비싸서 꽃을 몇 번 사지 않았다. 그래도 일본인들은 마당에 꽃 심는 걸 워낙 좋아해서 나도 덩달아 심어보기고 하고 동네를 다니며 눈요기도 하고 그랬다. 그래도 늘 한 다발 두 다발의 꽃이 그리웠다. 그래서 버킷리스트에 한국에 돌아가면 꼭 꽃상가를 다녀야지, 가 있었다. 그리곤 지난 주말 드디어 소원이 이루어졌다. 남대문 꽃상가에 가서 백합 두 다발을 8천원에 구입했다. 지금 꽃송이들이 한창 피는 모습을 흐뭇해서 너무 좋아서 자꾸만 들여다본다.

교통카드 사용 요금이 올라가는 걸 볼 때 마다 행복하다. 버스를 이용할 만큼 건강해졌다. 삼천 원, 팔천 원, 만원……. 교통카드에 찍힌 요금이 쌓이는 걸 볼 때마다 아! 내가 오천 원어치 건강하구나. 만원어치 건강하구나, 하고 감격한다. 건강의 실제가 눈에 보이는 것 같아 뱃속이 간질간질하다.

빨래도 즐겁다. 세탁기 돌아가는 소리가 기운이 있다. 아프고 난 뒤 빨래는 못했다. 약을 끊은 뒤에도 1층에서 빨아 3층에 너는 건 어려웠다. 그러다 서울로 이사와 원 없이 빨고 있다. 티비를 보면서 빨래를 개면 그렇게 마음이 흡족할 수가 없다. 예능프로를 깔깔대며 보면서 빨래를 갠다. 서울의 달도 보고 순풍산부인과도 본다. 그러다보면 모나가 슬쩍 옆에 와서 눕는다. 남편은 소파에 앉아 남은 업무를 한다. 이 시간이 퍽 고요해서 참으로 마음에 든다. 사방이 조용하다. 무더위로 거리엔 사람이 없고 집에선 위위윙 에어컨 돌아가는 소리만 난다.

〈나를 행복하게 하는 것들〉
• 코앞에 있는 가까운 마트

- 무릎 위 반바지나 슬리퍼 착용
- 다 알아들을 수 있는 한국말
- 배달음식
- 효율성을 지향하는 국민성
- 프라이빗한 이야기를 주고받을 수 있는 오픈마인드
- 바닥에 침은 뱉으면서 문은 잡아주는 모순
- 일본보다 습도가 낮아 시원한 여름
- 창문을 열고 커튼도 열고 지내는 개방감
- 불가능이 없는 온라인 쇼핑
- 첨단 가전제품
- 널찍한 공간
- 혼잣말을 하거나 쭈그리고 앉아있어도
  미친 여자로 보지 않는 시선
- 온갖 곳을 다가는 버스
- 저렴하고 예쁜 가구
- 더치 없이 밥 사는 순간
- 이것저것 챙겨주고 싶어 하는 오지랖
- 아저씨 유머
- 푸짐한 음식의 양

- 질 좋은 면제품
- 시거나 떫지 않은 커피
- 친절한 교회
- 우리 회사, 우리나라 대놓고 씹는 자기비판
- 측은지심 봉사와 기부
- 온돌
- 젠더 이슈 등 활발한 토론과 논의. 역동성
- 촛불, 국민의 힘

밤을 샐 수도 있겠구나.

세상이 잠에 빠지면 비로소 나는
완벽히 안전한 공간으로 들어갔다.
그곳에선 아무도 내게 소리 지르거나 타박하지 못했다.
성추행도 폭행도 폭언도 다툼도 어색함도 불편함도 사라졌다.
폭력과 무례는 사람들과 함께 잠들었다.
세상이 깊게 잠들어 있는 동안
나는 오로지 나만 신경 써도 되었다.
타인을 신경 쓰지 않아도 되었다. 그래서 늘 잠이 싫었다.
조금만 더 조금만 더 버텼다.
안전은 충만한 자유를 만끽하게 했으니까.
그것이 내 불면증의 시작이었다.

우울씨는 진화한다

모나가 죽는다

　한국으로 돌아오고 10개월 뒤 일본에 다녀왔다. 모나는 친정에 맡겼다. 산책을 좋아하는 모나가 사과밭을 돌아다니다 비료 몇 알을 주워 먹었다. 유박. 피마자 깻묵으로 만든 친환경 퇴비다. 사료와 비슷하게 생겼고 고소한 냄새가 나서 주워 먹었나 보다. 유박은 체중 60kg의 성인이 18g을 먹으면 사망에 이를 수 있다. 옛날 어른들은 스스로 목숨을 끊기 위해 피마자기름을 먹기도 했다.

　일본에서 시골 친정으로 모나를 데리러 갔을 때 모나

는 누워서 일어나지를 못했다. 유박을 먹은 지 이미 며칠은 되었고 부모님이 동물병원에 데려갔으나 별 일 없을 테니 돌아가라 했다고 했다. 우리 부부는 당장 택시를 잡아 모나를 데리고 서울로 향했다.

모나는 열흘 넘게 데드라인이었다. 금방 숨이 멎어도 이상하지 않았고, 수의사들도 모두 비관적이었다. 모나가 금방 죽을 것 같아서 병원에서는 내가 모나를 안고 있게 허락해주었다. 그래서 병원이 여는 시간부터 닫는 시간까지 모나를 열 이틀간 안고 있었다. 아침 10시마다 정기 검사를 하는데 병원에 가는 길이 무척 괴로웠다. 애가 닳다, 는 느낌이 이런 것일까. 내 몸 안의 내장이 썩고 피를 쏟아내는 느낌이었다.

이보다 나쁠 수가 있나 싶은 상황에서 더 낮은 바닥이 연일 나타났다. 장염. 췌장염, 복막염, 황달, 복수, 흉수천자, 뇌수두증, 계속 떨어지는 알부민수치와 빈혈수치, 오르는 염증과 간, 당 수치... 모나는 간이 90퍼센트 이상 망가진 상태로 보여 가망이 없었다. 수액, 혈장 등으로 멈춘 간의 기능을 일부나마 대신해 살려두고 있었다. 곧 멈출 숨을 붙잡아 두고 있었다.

기적밖에 기댈 곳이 없을 때, 사람은 겸손해진다. 모나를 낫게만 해주신다면. 못할 일이 없다고 생각했다. 그러나 순종에 조건을 거는 것은 순전한 의도와는 거리가 있음을 또한 알고 있었다. 생명의 주권은 신께 있고, 생명의 시작과 끝은 그 분의 일하심이라는 걸 전적으로 인정할 수밖에 없었다. 어떤 결과가 다가오더라도, 감사를 잃지 않겠다고 기도했다. 모나가 내게 주었던 시간은 실로 놀랍고 아름다운 것이었으니까.

어머니도 괴로워하셨다. 내가 얼마나 모나를 아끼는지 잘 알고 계시기 때문에 시골에서 서울로 면회까지 오셨다. 그때는 내가 잠시 외출을 하고 모나만 병실에 있을 때였는데, 내가 도착하기 전까지 모나를 병실에 두고 꺼내 보지 말아달라고 신신당부를 했다. 몇 분 뒤 전화가 왔다. 직원이 모나를 꺼내왔는데 많이 아프네. 그 순간 이성이 끊어졌다. 택시에서 병원을 향해 달려가고 있는데 툭. 이성이 끊어지는 소리가 들렸다. 정말로 귀에 들렸다. 광분이었다. 분노와는 차원이 달랐다. 무슨 짓이든 할 수 있을 것만 같았다. 어머니에게는 금방 가겠다 차분히 말했지만 어떤 생각도 할 수 없었다.

무슨 사고든 치고야 말 것 같아 남편에게 전화해 도움을 요청했다. 마침 남편은 병원 가까이에 있었고 이런저런 말로 나를 안심시키려 노력했다.

다행히 모나는 총 이 주일이 넘는 사투 뒤에 서서히 호전됐다. 병원에서는 모나가 밥을 먹고 대변을 보면 집에 데리고 갈 수 있다고 했다. 주사기에 죽을 넣어 강제 급식을 했는데 어느 날 밥은 여전히 먹기 싫어했지만 간식을 조금 먹었다. 뇌수두증 때문에 중심을 잡을 수 없어 휘청거리고 빙빙 돌면서도 똥을 조금 누었다. 모나가 살아날 수도 있을 것 같다는 이야길 전하자 친구들이 응원과 위로의 면회를 와주었다. 레드리프 사장님과 후암동 친구들은 내가 정신이 없을 거라며 반찬을 나눠주고 도시락을 싸주고 커피나 그 밖의 먹거리도 챙겨주었다. 교회 자매들도 방문해주었고 여러 목사님도 기도해주셨다.

모나는 기적적으로 나았다. 모나를 병원에서 데리고 나오며 내 평생의 행운을 이번에 다 써도 괜찮다고 생각했다. 모나가 살아있다는 사실만으로도 앞으로 빌 소원이 없지 싶었다. 하지만 우울씨의 입장은 달랐다. 모나가 퇴원한 기쁨도 잠시 광분의 얼굴을 한 우울씨는 나를 가만두지 않았다. 도대체 화가 가라앉질 않았다. 일본에서 겪었던 분노보다 훨씬 강도가 셌다. 더 이상 우울씨에게 끌려 다닐 수 없다 마음먹었다. 나의 반격이었다. 지독한 싸움의 서막이 열렸다.

16년 만에 다시 우울증 치료를 시작하다

　두 번째 정신과 방문이었다. 2003년 실연의 아픔으로 우울증을 진단받은 뒤 처음 찾은 한국의 정신과였다. 의사는 나의 밝음을 보고 대수롭지 않게 여기는 듯했다. 뇌파 검사, 인지 검사 등을 하고 설문지를 주었다. 정신과를 찾으면 보통의 경우 수백 개의 질문이 적힌 우울증 검사 설문지를 작성하게 한다. 이십만 원인가 삼십만 원인가 싸진 않았던 것 같다.

　일주일 뒤 다시 병원을 찾았다. 의사의 얼굴은 지난번과는 조금 달랐다. 좀 더 신중한 표정이었다. 의사는 진지한 얼굴로 남편을 데려오라 했다. 마침 남편은 긴 출장을 가 동석할 수 없어 스피커폰으로 참석했다. 검사결과 나는 중증의 우울증으로 악화된 상태였다. 최소 2년은 약을 먹는 게 좋다고 권했다. 그리 충격 받지는 않았다. 투병 생활이 길었고 아직 온전히 회복되지 못한 몸을 끌고 다니고 있으니 그럴 만하다 싶었다. 모나가 트리거 였을 뿐이다. 그날로 약물 치료가 시작되었다. 약을 먹고 2박 3일간 잠만 잤다. 부작용이냐 물으니 아니라했다. 정신이 안정을 찾아 잠을 자게 되었다고 했다.

늘 불면증이 있었다. 내가 기억하는 어린 시절부터 밤마다 쉽게 잠들지 못했다. 잠이 드는 데 늘 한두 시간은 걸렸다. 어머니와 아버지는 잠을 자고 나는 혼자 어두운 천장을 보며 생각이란 걸 했다. 낮에 읽은 동화, 시장에서 생닭을 잡던 아줌마, 우리 집 프라이팬을 훔쳐가고 오리발인 주인집 아줌마…… 떠오르는 대로 생각했다.

늘 밤이 좋았다. 밤이 깊어지면 소리가 사라졌다. 부모님의 날선 말, 길거리 취객의 고성방가, 시끄러운 옆

집 개도 잠을 잤고, 무서운 안집 아줌마도 코를 골았다. 세상이 잠에 빠지면 비로소 나는 완벽히 안전한 공간으로 들어갔다. 그곳에선 아무도 내게 소리 지르거나 타박하지 못했다. 성추행도 폭행도 폭언도 다툼도 어색함도 불편함도 사라졌다. 폭력과 무례는 사람들과 함께 잠들었다. 세상이 깊게 잠들어 있는 동안 나는 오로지 나만 신경 써도 되었다. 타인을 신경 쓰지 않아도 되었다. 그래서 늘 잠이 싫었다. 조금만 더 조금만 더 버텼다. 안전은 충만한 자유를 만끽하게 했으니까. 그것이 내 불면증의 시작이었다.

아프면서야 잠이 좋아졌다. 약기운 때문에 하루의 상당시간을 잠으로 보냈다. 할 일 없이 통증을 견디며 하루를 보내는 내게 잠은 도피였다. 한국에서 두 번째 치료를 시작하며 2박3일, 1박2일, 하루 종일 잠을 자도 행복했다 해야 하나, 만족했다 해야 하나, 광분이 가라앉으니 살 것 같았다. 잠은 우울씨의 또 다른 유혹이었다. 화나는 일이 있으면 약을 먹고 일찌감치 부터 깊게 잤다. 하루를 자고 일어나면 다른 하루가 날 찾아왔다. 새로운 하루는 조금씩 어제와는 달라졌다. 슬리퍼를 신고 모나를 데리고 다시 레드리프에 갈 수 있게 해주었다.

봄이 지나고 여름이 지나며 약효과도 효과지만 계절성 우울증의 영향으로 좋아지기도 했다. 분노가 금방 가라앉아서 다행이었다. 때때로 우울씨가 찾아왔지만 해가 찬란한 계절에는 슬쩍 나를 들여다보는 정도였다. 가을과 겨울이 돼야 심해졌다. 그러나 추워지면 몸이 섬유근통증의 영향을 받기도 했기에 그런가보다 했다.

약물치료가 시작되고 얼마지 않아 단체여행으로 이스라엘을 갔다. 가방엔 약봉지가 상당했다. 아침저녁으로 약을 먹으며 친구에게 별 거 아니라는 식으로 말했다. "우울증 약인데 왜 먹으라고 하는지 모르겠어, 자꾸 화가 나서 병원을 갔는데 약을 먹으라네." 당시 나는 동네 외출도 곧잘 했고 사람도 자주 만났다. 사람을 만나면 만날수록 에너지는 얻는 성향이었다. 우울증 약을 먹고 있으면서도 스스로 우울증 환자라 자각하지 못했다. 일본에서는 더 심했어도 딱히 처방을 받지 않기 때문에 분노에 도움을 주는 약이라고 여겼다.

지금 생각해보니 어쩌면 우울씨와 너무 오래 함께 지내 우울을 자각하지 못했는지도 모르겠다. 워낙 쾌활한 성격인 나를 보며 신경정신과에서는 치료가 잘 되는 것 같다고 했다. 그러나 돌아보면 계절에 따라 호전과 악화가 반복될 뿐 나아짐은 선명하지 않았다. 우울씨는 힘이 셌다. 정말 힘이 셌다. 스스로를 괴물로 여기게끔 만들었다.

친구가 자살했는데 즐거웠다

누군가 자살했다더라라는 이야기를 들으면 어떻게 친구와 사랑하는 가족이 있는데 고통을 줄 수 있지 의아한 적도 있었다. 그러나 우울씨가 나를 죽음의 문턱에 데려갔을 때 그들을 이해했다. 그들은 살기 위해 죽음을 택했다. 고통이 너무 커서 죽지 않으면 이 고통이 끝나지 않기 때문에, 어쩔 수 없이 자살을 선택하는 거였다. 살기 위해서. 제발 좀 살기 위해서. 고통에서 벗어나기 위해 죽는 거였다. 고통은 나눠질 수 없다. 전염만 시킬 뿐 나눠질 수는 없다. 물론 극단적인 발언이다. 하지만 나의 경우 고통의 한가운데 있을 때만큼은 어느 누구의 위로도 큰 도움이 되지 못했다.

정신과 치료를 시작한지 얼마 되지 않아 한통의 전화를 받았다. 친구가 자살했다는 소식이었다. 전하는 친구도 당황해서 말을 버벅거렸다. "걔가, 걔가 죽었어. 죽었대. 어떡하지? 어떡해?" "뭐? 그 아이가 죽었다고? 자살했다고? 정말?" 전화를 끊는데 희한하게 놀라지 않았다. 담담했다. 오히려 이제 무얼 해야 하지. 나한테 검은 정장이 있나, 장례식장까진 뭘 타고 가지, 가서 밤샘을 해주어야겠구나. 체력이 될까. 착착 계획을 세웠다. 전화를 끊고 옷장을 뒤지는 사이 머릿속이 분주하게 돌아갔다. 마치 생방송 때 사고가 나서 수습을 하는 것처럼 거침이 없었다. 마침 가족 행사에 입으려고 사둔 검정 스커트와 니트가 있어 얼른 꺼내 입으며 남편에게 말했다. "사두길 잘했지? 이럴 때도 입을 수 있으니." 내 입에서 나오는 말을 스스로 믿을 수 없다. 더 괴이한 건 장례식장에 가려고 분주한 준비를 하는 동안 꽤 신이 나 있었다는 사실이다.

전철을 타고 장례식장을 가는 동안에도 흥분은 가라

앉지 않았다. 평소처럼 핸드폰을 보고 남편에게 말을 걸고 농담을 했다. 남편은 나를 이상하게 보지 않고 잘 받아주었다. 나중에 내가 이상하지 않더냐 물으니 글쎄, 모르겠는 걸. 덤덤히 말했다. 이상하다 말했으면 확실히 인지했을 텐데 그땐 마냥 들떠있었다.

장례식장은 떠들썩했다. 조문객이 많았다. 앉아있다 팔을 걷고 음식을 날랐다. 부족한 물건도 사다 나르고 자잘한 심부름도 알아서 했다. 남편을 먼저 보내고 3일 내 그곳에 있었다. 3일간의 일정은 꽤 괜찮았다. 마치 잔칫집에서 흥이 난 사람처럼 굴었다. 활기가 넘쳤다. 피곤하지도 않았다. 자살임을 알릴 수 없어 교통사고라 말하고 있는 가족들 앞에서 나는 울지 않았다. 처음엔 열심이었다고 생각하다가 점점 스스로가 괴이하게 느껴졌다. 친구의 장례식장에서 나는 왜 들떠있는가. 장례식이 끝나고도 아무에게 털어놓지 못했다. 나를 사람이라 보지 않을 듯 했다. 이런 경험을 그전에도 몇 번 한 적이 있었다. 집안에 큰 사고가 났을 때, 지인에게 변고가 닥쳤을 때 마음속에 즐거움이 넘쳤다. 그래서 슬픔에 공감해줄 수 없었다. 의례적인 위로만 했을 뿐 속으론 아니었다.

내면에 괴로움이 있었다. 나는 괴물인가. 왜 극단적인 사건에 나는 즐거움을 느끼는 걸까. 누구에게도 말하지 못할 정죄감이 커졌다. 이런 경우는 본 적도 없고 들은 적도 없다. 우울씨는 내게 말했다. "니가 괴물이라서 그래." 나는 반박하지 못했다. 누구에게도 털어놓을 수 없는 비밀이었다.

혼자 괴로워하다 병원에 가서 어렵게 털어놓았다. 왜 슬픔을 느끼지 못하고 신이 나는 거죠? 제게 무슨 문제가 있는 거죠? 의사는 알려주었다. 뇌가 균형을 맞추기 위해 벌이는 일이라고. 너무나 충격적인 사건이 벌어지면 충격을 감당하기 위해 뇌가 균형을 맞추려 하는 일이라고. 별 거 아니라는 듯 설명해주고 다음 이야기로 넘어갔다. 별거 아니라는 그 담담한 태도가 위로가 되었다. 그랬구나. 무감각도 그래서 찾아온 거 였구나. 우울씨의 다른 얼굴이기도 했지만 나 스스로를 위해 일어난 자연스러운 애씀이었구나. 설명을 듣고서 안심했다. 내가 쓰레기는 아니라는 사실에 안도했다.

마음의 평온도 잠시, 우울씨가 다시 반격했다. 달콤한

이야기였다. "저렇게 갔으니 이제 이 세상의 고통을 겪지 않아도 돼. 참 부럽다. 그치?" 우울씨는 다양한 방법으로 나를 좌절로 데려가려 했다. 그렇지만 이미 치료를 시작하고 약물과 의사라는 우군이 있었다. 신경정신과 약을 먹으면서 후암동에서 꽤 즐겁게 지냈다. 내 마음을 이해하니 찾아온 평안이었다.

미역

미역을 샀다. 구매 전, 후기를 읽는데 너무 부드러워요, 한마디를 보고 주문했다. 한참 끓이니 미역은 마치 매생이 같아졌다. 어릴 때, 어머니가 끓이고 끓여 흐물 흐물 죽같이 되는 미역국을 좋아했는데, 그런 모양새였다. 미역을 왕창 더 불려서 솥 두 개에 끓였다. 작가 후배, 동네 혼자 사는 아가씨, 레드리프 사장님들, 이웃 부부에게 나눠주고 내 몫을 먹었다. 어머니가 담가준 총각김치도 맛있게 익었다.

미역국을 끓이고는 수건을 삶고 있다. 여름을 지낸

수건, 겨울에 햇빛을 덜 만날 수건. 몽땅 가져와 바글바글 끓이고 있다. 다섯 장 씩 넣어 끓이고 빼고 다시 다섯 장을 넣고. 미역국을 먹고 빨래를 삶는 와중에 이 글을 쓴다.

어머니는 언제나 빨래를 삶았다. 그 덕에 수건과 속옷은 언제나 희고 좋은 냄새가 났다. 어머니는 온갖 것들을 다 삶았다. 양말, 팬티, 난닝구, 수건. 흰색이면 옷도 삶았다. 가끔은 색깔 있는 옷도 삶아서 빨래를 몽땅 망치곤 했다. 곤로에서 가스레인지로 화기만 달라졌다. 어머니는 아직도 40년 된 철로 된 세숫대야에 빨래를 삶는다.

빨래가 타지 않으려면 쇠 젓가락을 들고 지켜 서서 저어 줘야 한다. 아빠의 난닝구를 두어 번 태워먹은 뒤로 엄마는 그 일을 가끔만 시키셨는데 그 부글부글 끓던 세숫대야의 빨래가 얼마나 무서웠는지 모른다. 쇠 젓가락은 금방 뜨거워졌고, 물에 젖은 수건은 대단히 무거웠으며, 팔에 튀어 오르는 끓는 물은 더 무서웠다. 어머니가 빨래를 삶고 있으면 나보고 저으라고 할까봐 슬금슬금 눈치를 보고는 했다.

간밤 자정 즈음에 퇴근길이던 동네 친구가 선물을 안기고 갔다. 케이크에 마카롱에 쿠키. 뒤늦은 생일 선물이라고 했다. 친구는 퇴근 후 회식자리를 끝내고 돌아가던 길에 우리 집 앞까지 와 나를 불러냈다. 얼른 집으로 가지고 들어와 마카롱 하나를 꺼내 먹으니 속이 물러있었다. 선물을 들고 회식에 가서 그 사이 속이 녹은 것이다. 얼마나 번거로웠을까. 세상에.

요즘 선물에 대해 그런 생각이 든다. 수고로움을 자처하는 것. 상대의 기쁨을 위해. 귀찮고 피곤해도 상대의 요구가 없어도 즐거운 마음으로 기꺼이 하는 것. 친구는 회식 내내 그걸 들고 다니느라 얼마나 번거로웠을까? 엄마는 내내 빨래를 삶느라 얼마나 고단했을까. 문득 타인의 배려에 대해 생각한다.

오래 전, 용서의 정의에 대해 읽은 적이 있다. 그 책에서 용서란 화낼 권리를 포기하는 것이라고 했다. 그 책을 십 수 년 전에 읽었는데 나는 요즘에야 그 정의를 이해하고 있다. 상당히 번거롭고 무지막지하게 귀찮고 복잡한 그 극단이 용서구나. 용서를 하려면 나를 다 헤집어 놔야하고 거기서 다시 빠져나와야하니까. 상대의 인지 없이 나 혼자서. 고통으로 뾰족해진 자아를 미역국의 미역처럼 풀어내야한다.

　미역국이 되려면 부러뜨리면 날카로워지는 마른 미역이어서는 안 된다. 물에 불려지고, 볶아지고, 끓여져서, 제 고집을 꺾고 부드러운 미역이 돼야 한다. 조개와 소고기와 싫어하는 황태까지 품을 수 있는 부드러운 사람이 되려면 물에 불에 시달려야 한다. 햇빛과 바람에 시달리기 전의 모습으로 돌아가려면.

　어젯밤에 미역을 더 불렸다. 오늘은 소고기를 더 샀다. 어제 미역국을 먹은 친구 하나가 미역이 부드러워서 맛있다고 했다. 맛있으면 더 드릴 수 있어요. 미역국이 별건가 푹푹 끓이면 그만인데.

　비오는 날, 팔팔 끓는 빨래 옆에 쭈그리고 앉아서 따듯함에 노곤해진 정신으로 쓴다.

-2019년 11월 30일

임신이 공황을

　마흔 다섯에 임신을 했다. 2년 동안 시험관 시술을 했
는데 운이 좋았다. 드문 확률에 들기 위해 우울증 치료
를 열심히 했고 운동도 성실하게 했다. 운동은 우울증
에 큰 도움이 된다. 우울증 약을 먹는 그룹, 우울증 약을
먹으며 운동도 하는 그룹, 운동만 하는 그룹을 비교해
보면 장기적으로 봤을 때 운동만 하는 그룹이 우울증에
서 벗어나는 수가 가장 많다. 하지만 나는 중증의 우울
증이기 때문에 섣불리 약을 끊거나 해서는 안 된다.
시험관 기간에도 약은 줄곧 먹었다.

시험관은 어렵지 않았다. 병원이 마침 집에서 1km거리여서 마실 다니 듯 다녔다. 호르몬 주사를 배에 꽂는 일은 재밌었다. 주사바늘이 피부를 뽁 하고 찌르는 느낌이 좋았다. 좀 이상한 표현이지만 마치 낚시의 손 맛 같다고 해야 하나. 바늘이 뽁하고 들어가고 호르몬제가 쑤욱 주입돼는 느낌이 흥미로웠다. 병원에서 보내는 긴 대기 시간에는 좋아하는 책을 읽었고, 난자 채취 등의 시술을 위해서는 수면마취제를 맞았다. 아득한 잠에 빠졌다가 순식간에 깨어나는 느낌도 신기했다.

사람들이 힘들지 않느냐 물으면 안 힘들다고 했다. 워낙 아파봤기 때문에 시험관 정도는 별 것 아니었다. 큰 고통을 겪었더니 다른 종류의 고통이 오히려 신선했다. 시험관을 하며 글쓰기 작업실도 열고 내 글도 썼다. 나름 재미있는 시간이었다. 되면 되고 안 되면 안 되는 거다, 그런 마음으로 난임 병원을 다녔다. 남편과 아내 둘이 행복해야 아이가 있어도 행복한 가정이 된다. 아이가 없어도 이미 행복한 가정을 꾸렸고 아이가 생기면 또 다른 행복한 가정이 될 테니 어느 쪽이든 괜찮았다. 쌍둥이를 임신하기 전까지 가졌던 순진한 생각이기도 했다. 갑자기 덜컥 2년 만에 임신이 되기 전까지.

쌍둥이 임신으로 가장 힘들고 괴로운 점은 숨쉬기였다. 임신을 하자마자 숨이 차기 시작했는데 급격히 심해졌다. 성인의 기도는 평균 11mm인데 나는 1.7mm다. 안 그래도 좁은 기도가 임신으로 더 좁아졌다. 물 한 모금 마시거나 밥 한 숟가락을 먹고 나면 과호흡이 올 정도로 숨을 헐떡였다. 자다가 질식하는 느낌에 깨면 꼭 익사하는 사람을 건져놓았을 때처럼 숨을 몰아쉬었다. 배가 너무 무거워서 매초 질식하는 느낌 속에 지냈다. 공황장애가 뭔지 이해할 수 있었다. 순간 창문에서 뛰어내리고 싶다는 생각을 본능적으로 했다. 그러면 이 미칠 것 같은 압박감에서 해방될 거 같았다. 산소 호흡기를 알아봤으나 처방이 있어야하고 처방이 안 될 거라는 걸 알고는 좌절했다. 공황장애 진단을 받으러 병원을 갈 수도 없었다. 죽지 않는다는 사실을 알면서도 죽을까봐 두려워했다.

온몸이 프레셔 밑에 깔린 느낌이었다. 한번 누우면 도움 없이 일어나기 힘들었다. 당연히 식사도 어려웠다. 삶은 계란 하나를 먹으면 배가 불렀다. 두 아이를 키우기 위해 먹어야하니 한 두 시간 마다 조금씩 먹고, 더 커진 압박감에 몸을 비틀며 괴로워했다. 다행히 따뜻한 욕조에 몸을 담그면 몸이 잠시 풀렸다. 남편은 수시로 욕조에 물을 받았다. 손가락, 무릎이 부러질 거 같다거나 변비가 심해졌다거나 하는 증상은 숨쉬기 어려운 증상에 비하면 아무 것도 아니었다. 통증으로 긴 투병생활을 했던 내가, 내 인생에서 가장 몸이 고통스러운 시기를 보내고 있었다.

병은 임신보다 쉬웠다. 통증은 24시간 내내 연일 이어지지 않는다. 심했다가 가벼워졌다가를 반복한다. 급체를 해도 트림이 나오는 몇 초는 시원하다. 병을 견딜 수 있게 하는 힘은 고통의 강도가 강약을 반복하며 잠시라도 쉬는 시간을 주는 데서 나온다. 임신은 달랐다. 24시간 매초 강강강강으로 고통이 계속 됐다. 단 2주를 제외하고 임신 기간 내내 누워서 지냈다.

28주가 되니 몸의 힘듦은 어마어마해졌다. 아 이정도구나. 이 상태로 앞으로 9주를 버텨야 하는 구나 각오했다. 그런데 32주가 되니 28주는 장난이었다. 식탁에 앉아 변비 예방을 위해 싫어하는 키위를 먹다가 눈물을 뚝뚝 흘렸다. 투병기간에도 고통 때문에는 울지 않았는데. 너무 괴로워서 가만히 누워있어도 눈물이 주르륵 흘렀다. 34주가 되었고, 분만 예정일을 36주 6일로 잡았다. 쌍둥이들은 처음부터 단태아보다도 컸다. 내 흉통은 굉장히 작은 편이어서 쌍둥이들이 급격하게 갈비뼈를 마구 벌려놓았다. 온몸이 자근자근 부서지는 것 같았다. 출산까지 남은 2주가 2년같이 느껴졌다. 시계를 수시로 보며 오후 1시구나, 오후 2시구나 시간가기를 기다렸다.

34주가 되자 뒷골이 당기고 두통이 시작됐다. 타이레놀을 암만 먹어도 두통이 가라앉지 않았다. 혹시 몰라 가정용 혈압계를 샀다. 며칠 뒤 150-100으로 오른 혈압이 떨어지지를 않았다. 바로 병원에 갔고 간호사에게 사정을 말했다. 진료도 보지 않은 채 당장 입원을 했다. 임신 중기에도 임산부 중환자실에 입원한 적이 있었다. 그러나 이번에는 분만대기실이었다. 산모들의 비명이 가차 없이 들렸다. 나만 분만대기실을 지키며 응급 분만을 기다려야 했다. 임신중독증이었다.

똑바로 누워 30분간 가만히 있어야하는 태동검사는

고문이었다. 태동 검사를 하면 하루 종일 꼼짝도 못할 정도로 나가떨어졌다. 똑바로 못 눕겠다고 버텼다. 갈비뼈가 곧 부러질 거라고 의료진을 협박했다. 안면마비도 입원 당일 밤에 나타났다. 오른 쪽 눈이 감기지 않았고 밥알이 줄줄 흘렀다. 양치질을 하면 옷이 다 젔었다. 과민성 방광이 있어 소변 줄을 꽂아 방광에서 직접 채취하는 소변검사도 미치도록 괴로웠다. 잠은 거의 못 잤다. 하루 한 두 번 30분씩 자는 게 전부였다. 혈압이 더 올랐다. 갑자기 수술을 하자고 했다. 상태가 많이 나쁘다고 했다. 그래서 입원 5일 만에 전신마취를 하고 제왕절개를 했다. 하루를 더 견디지 못해서 35주 6일. 미숙아 쌍둥이를 낳았다.

출산만 하면 끝인 줄 알았는데 진짜 고비는 출산날 밤에 찾아왔다. 밤 11시 반. 피가 쏟아졌고 경련이 시작됐다. 기억이 잘 나지 않는 새벽 3시 반까지, 병실이 없어 어쩔 수 없이 묵게 된 널찍한 특실은 의료진과 기계들로 꽉 들어찼다. 남편 말에 의하면 귀까지 보라색이 되어 몸이 새파래졌다고 한다. 열은 순식간에 40도로 올라갔다. 팔에 바늘 꽂을 자리가 없어서 발가락에까지 꽂았다. 다행히 3시 반 쯤 되자 10cm는 좌우 반동하던 경련이 절반으로 줄었고, 의료진과 장비도 일단 철수했다. 대신 간호사들이 쉴 새 없이 들락거리며 급한 처치를 하거나 피를 뽑아갔다. 5시 반이 되자 경련이 거의 줄어 남편이 쪽잠을 청했다. 오전 10시가 넘어가자 열이 거의 떨어졌다. 순탄한 출산도 허락되지 않았다. 목숨을 걸고 아이를 낳았다.

더디게 가는 사람

내일이면 조리원을 나가 집으로 돌아간다. 한 달 간 떨어져있던 모나를 만나고, 엄마가 되어 아이들과 함께 처음으로 집에 간다. 설레고 흥분되고 불안하고 긴장되는 밤이다. 지난 달 분만 대기실, 제왕절개를 하기 전날, 잠 못 이룬 그 밤처럼 설렘과 두려움이 섞여 오묘한 기분이 느껴진다.

쌍둥이 임신이 너무 고통스러워서 남편에게 하소연을 했다. "당연한 것들을 왜 난 이렇게 힘들게 얻게 되지?" 남편이 답했다. "결국 갖고 싶은 걸 다 가졌는걸.

사랑하는 반려자도, 모나도, 쌍둥이도 모두 당신이 픽업했어. 우리는 당신의 캐스팅이야." 듣고 보니 그랬다. 내가 결혼하자고 했고 내가 모나도 데려왔고 임신도 내가 제안했다. 그리고 그들은 나를 거절하지 않고 기꺼이 믿어주고 사랑해주는 가족이 되었다.

집으로 돌아가는 내일을 앞두고 지난 1년이 스쳐지나간다. 고통에 쌓여 숨을 헐떡이던 날들이 어느새 모두 가고, 밤과 내가 고요히 마주 보고 있다. 인생의 막이, 장이, 챕터가 하나 끝나고 내일이면 새로운 삶이 나를 맞는다. 내일 이 시간이면 아기들을 붙들고 진땀을 흘리고 있겠지. 잠잘 생각일랑은 애 저녁에 접어둔 채 집이 낯설어 우는 아기들을 달래고 있겠지. 서툰 손길로 아기들을 꽤나 울리다 어느 밤, 창밖을 보면 또 한 해가 지나가 있겠지. 어느 새 지나가버린 한 해의 속도가 믿어지지 않겠지. 1년 후 그 밤도 짐작이 된다.

아이를 갖으며 몸이 많이 변했다. 갈비뼈는 벌어져 흉통이 넓어지고 아직 배가 다 들어가지 않아 여전히 임신한 배 같고, 골반이 벌어져 어깨부터 엉덩이까지 굴곡이 없는 일자 몸이 되었다. 여자로서의 몸, 내 평생

익숙했던 몸이 사라져버렸다. 서글픔이 느껴진 적도 있었지만 순간이었다. 내가 사라지고 엄마만 남을 것 같은 두려움도 느꼈지만 것도 순간이었다. 내가 나를 달랜 말, 그래 놀 만큼 놀았지. 45년이면 충분히 놀았어. 이제 다음 단계로 넘어가자.

조리원에서 혼자 있는 시간이 쓸쓸할 때 예능프로를 틀어놓았다. 출연자들은 여전히 20년 전에도 활발히 활동하던 사람들이다. 보다 문득 세월이 느껴졌다. 저 사람들 참 많이 늙었네. 배우들의 나이든 모습에서 세월의 흐름을 느꼈다. 나의 젊음 또한 뒤안길로 사라지고 있음을 선명히 느꼈다. 그 느리지만 단호한 걸음의 무게. 우리는 늙는구나. 그러다 죽음으로 가겠구나. 그래서 생명을 낳았구나.

째깍째깍. 쓰는 동안 자정이 지나고 날짜가 바뀌었다. 오늘 아침이면 나는 엄마가 되어 처음으로 집에 돌아간다. 외로웠던 한 명이 다섯이 되기까지 45년이 걸렸다. 그래서 알게 된 것. 나는 느리다. 남들에 비해 더디다. 느리고 더딘 덕에 당연한 것들을 마땅하게 여기지 않게 되었다. 일찍 태어난 아기들이 스스로 숨을 쉬고 잘 먹

는다는 사실만으로도 눈물 나게 감사하다. 척박했던 날
들이 삶의 평범함에 감사를 갖게 해주었다. 당연한 모
든 것이 실은 하나도 당연하지 않다는 사실을 거듭 생
각나게 해주었다. 느리고 더디게 가는 덕에.

-2021년 늦가을에 쓰다.

출산과 육아가 불안장애를

산부인과 병원에서 남편은 겨우 출산 하룻밤만 같이 있어 주었다. 예정에 없던 분만이었기 때문에 예정에 있는 이사를 해야 했다. 병원은 코로나 때문에 한번 퇴실하면 재 입실이 안 되었다. 병실에서 5일 동안 혼자 시체처럼 누워있었다. 다인실로 이동할 힘도 없어 특실 침대에 내내 누워있었다. 혼자였지만 너무 아파서 외롭지도 않았다. 아이들은 자가 호흡이 안 되고 분유를 못 빨아 신생아 중환자실로 갔다. 조산이 당연시 되는 쌍둥이들에게는 흔히 있는 일이다. 신생아 중환자실에 겨우겨우 면회를 한번 갔는데 아기들은 발가벗겨져 온 몸에 기계 장치를 달고 있었다. 걱정은 되지 않았다. 체중이 단태아보다 많이 나갔고 좋아질 거라는 확신이 들었다.

아이들을 중환자실에 두고 혼자 조리원으로 이동했 다. 남편은 조리원에 나만 데려다 준 후 한 달간의 해외 출장을 떠났다. 조리원에도 혼자 있었다. 일주일은 누 워서 일어나질 못했고 이주일째에 조금씩 움직였다. 삼 주 째에는 회복이 꽤 되었다. 신생아 중환자실에서 열 흘 만에 조리원으로 온 쌍둥이들을 안아주기도 하고 기 저귀를 갈아주기도 했다.

나를 비롯한 조리원 친구들은 대체로 어리둥절한 모 습이었다. 예쁜 옷을 입고 예쁜 카페를 다니고 일에 열 심이었던 친구들이 갑자기 애 엄마가 되어 어찌할 바를 몰랐다. 다들 조리원 퇴소를 두려워했다. 아기를 어떻 게 키우지, 보다 사실 정확한 속내는 내가 애를 죽이기 라도 하면 어쩌지? 라는 근원적 두려움이었다. 기쁨은 잠시, 내가 한 인간을 그것도 이 신생아를 살려야한다 니 모두 내심 두려워했다.

조리원에서 퇴소하며 남편 대신 부모님의 도움을 받았다. 나 없는 사이 이사를 해서 이삿짐이 완전히 정리되지 않은 집으로 들어갔는데 구역질이 올라왔다. 온몸에 한기가 흐르며 진땀이 났다. 불안해서 잠도 못자고 밥도 못 먹었다. 어머니가 죽이라도 한 술 뜨라 했지만 목으로 넘어가지 않았다. 긴장이 극도로 높아 내 몸을 위한 행위는 무엇도 할 수 없었다. 4일을 못 먹고 못자다가 동네 내과를 찾았다. 산후에 몸에 무슨 문제가 생겼나 했는데 의사는 내과에서 처방이 가능한 신경안정제를 처방해 주었다. 그 약을 먹었더니 하루 한 시간을 잘 수 있었다. 이대로는 죽을 것 같았다. 집에서 가까운 정신과로 바로 달려갔다.

2003년에 첫 진료를 받았던 신경정신과가 마침 집 가까이 있었다. 의사는 나를 기억하고 있었다. 무뚝뚝하고 잘 웃지 않는 의사는 내 증상을 듣더니 일주일치 약을 처방해주었다. 약을 먹으니 불안이 좀 가라앉았다. 잠을 조금 자고 밥도 조금 먹을 수 있었다.

임신 중독으로 체중이 18kg 늘었는데 15kg이 순식간에 빠졌다. 휘청거리며 아이들을 돌봤다. 아이들은 내 사정을 봐주지 않았다. 무조건 먹이고 재우고 안아야 했다. 쌍둥이이니 한숨 돌릴 겨를도 없었다. 한 명을 돌보고 이어 한 명을 돌보고 다시 한명을 돌보는 도돌이였다. 그렇게 4개월을 보내니 정신이 망가졌다. 우울씨가 말했다. "너를 진심으로 도와주는 사람은 아무도 없어. 너는 24시간 아이를 돌보잖아. 남편과 어머니는 밤이면 잠을 자는데 너는 낮이고 밤이고 아이를 돌보잖니? 세상은 원래 이런 거라고 내가 말했지?" 우울씨는 참 말이 많다. 점점 그의 조잘거림이 점점 지겨워졌다. 우울씨에 대항하는 저력이 고통으로부터 생기고 있다고 해야 하나. 안 그래도 힘든데 쉬지 않고 떠드는 우울씨의 말이 듣기 싫었다. 우울씨의 말을 경청하는 내가 싫었다. 정말이지 꼴보기 싫었다.

십년만내아이

한우 700그램으로 5일치 이유식 2리터를 만든다. 쌍둥이가 하루에 한우 70g, 하루 이유식 240g을 먹는다. 각종 채소 넣은 한우 이유식을 아침저녁으로 먹고 점심 간식으로는 과일이나 고구마 퓨레, 치즈 등을 먹는다.

친척분이 오셔서 이유식 만드는 내 모습을 보시곤 안타까워하셨다. 집안일을 마치고 새벽까지 이유식을 만들던 날 밤, 친척분은 이 정성을 자식들이 자라서 알아주려나, 하며 안쓰러워하셨다. 따듯한 위로였다. 하지만 나는 알아달라고 이 정성을 들이는 건 아니었다.

전부터 사회는 자식에게 길러준 은혜를 부모에게 갚으라 강요해왔다. 조선시대에 이 사상은 종교이자 정치 이념인 효가 되어 아버지가 자식에게 사형을 언도할 수도 있었다. 가장에게 절대 권력을 쥐어주는 데에는 장유유서마저도 무시되었다. 늙은 노모가 아들이나 사위의 밥을 차리는 풍습은 지금도 당연시 되고 있다.

아이를 갖으면서 지금까지 터럭만큼도 자식을 내 아랫사람이라고 생각한 적이 없다. 종교적으로는 아이가 하나님이 내게 맡기신 손님이라고 믿고, 인간적으로는 모든 인간이 수천 수 만년 출생순서와 상관없이 동등하다고 여긴다. 내가 보살핀다고 해서 권력의 우위에 있게 한다고 보지 않는다. 지식이 거의 없는 한 살도 칠십년 간 세상살이 한 사람만큼 인간으로서 존중받아야 한다.

아마존의 눈물이라는 프로그램을 좋아하지 않는다. 예외적으로 원주민들의 젖가슴이 모자이크 없이 방송되었다. 방송이 나가고 포털사이트에 올라오는 댓글은 낯 뜨거운 수준이었다. 원주민들의 나체가 현대 사회에 어떻게 통용 된지 모른다 해서 그들과의 문화 차이를 이용해서는 안 된다. 모욕을 줄 수는 없다.

인간은 꽤 나이가 들어서부터 기억을 저장한다. 엄마 뱃속에서의 시끄러움, 태어날 때의 고통, 돌잡이하던 날의 왁자지껄함, 꽤 수년의 기억을 간직하지 못한다. 이를 유아기 기억 상실이라고 부르는데 나는 이것이 신의 배려라고 생각한다. 많은 부모들이 자신의 아이에게 친절하지 않다. 친절한 부모도 때때로 친절하지 않다. 나도 아이를 안고서 남편에게 서운한 마음을 토로한 적이 있다. 아기를 안고 부부 싸움하는 모양새는 절대 하지 하지 말아야지 했는데 나라고 예외가 아니었다. 그리고 그 시간 동안 쌍둥이들은 얌전히 있었다. 보통 때 같았으면 한껏 신나 소리 지르며 놀 시간인데.

아이들이 자라서 아기 시절을 기억 하지 못한다는 사실이 얼마나 다행인지. 만일 인간이 영유아기 시절을 기억한다면 세상은 증오와 폭력으로 멸망할 지도 모른다.

아이가 듣고 있다는 사실을 종종 잊는다. 보고 느끼고 있다는 사실을 종종 잊는다. 어쩔 수 없는 인간의 약점이기도 하지만, 그 대신 내 기분이 가라앉을 때면 일부러 아이를 잘 보여야하는 고객이라고 생각하고 응대

한다. 혹은 육아프로의 숨겨진 카메라가 나를 찍고 있다고 상상한다. 그러면 거짓말 같이 말투가 부드러워지고 가짜 웃음도 짓게 된다. 그런데 그렇게 연기하다보면 정말 내가 진짜로 웃고 있다.

부모로서의 나의 바람은 내 우울증이 아이에게 영향을 미치지 않는 것. 아이가 증오하는 존재가 되지 않는 것이다. 아이가 부끄러워하거나 한심하게 생각하는 인간으로 늙지 않는 것, 우리 집을 세상에서 가장 안전한 공간으로 인지해 안심하는 것, 어떤 잘못도 용서되고 회복될 수 있는 따뜻한 가정으로 무의식중에 새겨지는 것이다.

열 살까지만 내 아이다. 열 살이 넘으면 또래와 사회가 더 중요해지고 나는 뒷전으로 물러나 서포트 하며 아이에게 판단의 기준이 되는 존재가 되어야 한다. 사실 엄청난 꿈이다. 기준이 되는 사람이 된다는 것은. 그것도 내 스물 네 시간을 아는 사람에게.

아기는 지금 한 살이 되지 않았고 내게는 9년이 남아 있다. 만회할 수 있는 매일의 기회가 쌓여 있다. 저 아이가 무조건적인 사랑으로 나를 치유하는 시간이기도 하

다. 지금도 티셔츠에서 아기냄새가 난다. 옥시토신이
폭발한다. 오늘밤 쪼금 착해진다.

-2022년 6월 22일

2008년 종교를 가졌다. 신이 있다면
삶의 이유에 대해 어떤 대답을 들려줄 것 같았다.
당시 꽤 진지하게 종교에 임했는데 신에 대해 생각하다
시선이 나에게로 옮겨갔다. 고
통을 겪기 전, 온전한 나는 어떤 모습일까.
신이 만든 오리지널의 나는 어떤 모습일까.
다른 환경을 거쳤더라면 나는 어떤 사람이 되었을까.
고통으로 훼손된 나 말고 진짜 나는 어떤 사람일까. 그
런 나를, 나는 짐작이나 할까?

우울씨에게의 반격

Chapter 5

나는 우울증 환자입니다

    돌이켜보면 참 무지했다. 우울증이 뭐라고 인정하지 못했을까. 이 책을 쓰기로 결정하는 데에 10년이 걸렸다. 몇 번의 출판 제의가 있었지만 용기 낼 수 없었다. 책장 앞에 서있으면 기라성 같은 문장가가 세상에 가득했다. 내 책은 나무나 죽이는 쓰레기가 되겠구나 싶었다. 상반된 마음도 있었다. 그때는 섬유근통증으로 아무 일도 하지 못하던 시기여서 의기소침해 있었다. 그래서 나 지현주 죽지 않았다! 를 책으로 세상에 알리고도 싶었다. 개 아파서 드러누웠다며? 아무 것도 못하고 누워서만 지낸다며? 라고 떠들어대는 호사가에게, 아니거든! 나 책도 냈거든! 이라고 말하고 싶었다. 하지만 결국 그럴 수 없었다. 말은 날아가지만 글은 역사가 된다. 시대는 달라지고 가치관도 급격히 변하는 세상이다. 내가 뱉은 말에 책임질 수 없는 세상이 되면 어떡하지? 내 글이 그만한 가치가 있나? 무엇보다, 내 병에 대해 자세히 털어놓을 수 있는 용기가 있나? 자신을 진단해보았더니 아니었다. 나는 겁쟁이였다.

지금도 겁은 난다. 우울증을 앓고 있음을 최근에야 말하고 다니기 시작했다. 아주 가까운 사람부터 털어놓았다. 카톡에 답이 느린 이유도 카톡방을 나온 이유도 우울증이었고 만남을 회피하는 행동도 우울증이라 고백했다. 내 커밍아웃에 가족들은 별말 하지 않았다. 아버지는 친척 모임에 오지 않아도 된다고 배려해주셨고 어머니는 말없이 아니 김치로 반찬으로 과일로 고기로 응원해주셨다. 친구들도 별 반응은 없었다. 오히려 자신도 우울증을 앓고 있다고 말해주었다. 혹은 두려워서 아직 병원엔 못 갔다며 병원 소개를 부탁하는 사람들도 많았다. 그렇다고 상대의 고백을 안심이나 동질감으로 이용하지는 않았다. 그냥, 그들이 나를 전과 같이 대해 줌에 감사했다.

우울증 환자임을 받아들이고 적극적인 치료를 시작하자 원래의 성격으로 차츰 돌아왔다. 지금은 우울씨의 이야기를 듣지 않는다. 마치 내가 피해자인양 누군가의 험담을 하고 있는 우울씨의 이야기를 듣고 있노라면 슬슬 짜증이 난다. 우울씨는 나를 감정의 쓰레기통으로 삼고 있는데 그 꼴을 당하고 있는 내 모양새가 마음에 들지 않는다. 쓸데없는 소리를 들으며 나를 훼손하고 싶지 않다.

지금은 평온한 상태다. 가끔 분노가 찾아오지만 그럴 때면 기분 전환을 한다. 심할 땐 빨리 걷거나 목욕을 하거나 제비다방이나 더 채리엇에 간다. 맛있는 음식도 시켜 먹는다. 일부러 아파트 주민에게 인사를 하고 수다를 떨어 주의도 분산시킨다. 그러다 보면 분노는 가라앉아있다.

우울은 조금 다르다. 우울은 무기력과 동반돼 있어서 적극적인 행동을 하기 어렵다. 그럴 땐 조용히 우울이 가라앉기를 기다린다. 지금 나는 우울증이라는 병 때문에 이럴 뿐이라고 스스로에게 설명해준다. 길게는 며칠 혹은 몇 주가 걸리는데 그 시간을 고요히 보내다보면 어느 새 웃는 나로 되돌아와 있다. 이 책을 쓰는 과정도 치유에 도움이 되었다. 떠올리기 싫은 날들 속에 기쁜 순간과 행복한 순간들이 있었음을 기억해 냈다. 그리 나쁘지 않은 인생이야, 아니 특별한 인생이야, 감사한 마음도 생겼다. 우울씨가 아니었더라면 이런 대대적 고백은 하지 못했을 테니 우울씨에게도 조금은 고맙다.

나는 혼자가 아니다

복통이 심해서 응급실에 갔다. 택시가 잡히지 않아 밤새 통증을 참았다. 섬유근육통이 심할 때의 정도와 그다지 차이가 없어서 간과하다가 밤새 통증이 사라지지 않아 결국 병원에 갔다. 택시를 탈 때는 허리를 펴지 못했고 응급실에 들어갈 땐 오리걸음으로 걸었다. 결론은 2cm 크기의 담석이 있어 담낭 제거 수술을 하자는 거였고 오늘 입원 할래 며칠 있다 할래, 해서 집에 간다고 했다. 쌍둥이 이유식을 만들려고 재료를 잔뜩 사놨는데 버리기가 아까웠다.

이렇게 큰 크기의 담낭이 생긴 건 쌍둥이 임신으로 인한 후유증이었다. 출산 후 혈액검사에서 콜레스테롤 수치가 300이 넘었는데 내과의사는 처음 보는 수치라고 했다. 요즘은 담낭이 없어도 사는 데 별 지장이 없다고 하니 걱정은 하지 않았다. 기분만 이상했다. 임신중독증으로 임신중단을 판정받고 쌍둥이를 낳았는데 몸은 여전히 임신 후유증을 겪고 있다니. 임신은 끝났는데 임신으로 인한 수술을 해야 한다니 재미있는 상황이었다.

쌍둥이 육아로 체력이 한계에 이르러 언젠가 아 입원이라도 했으면 좋겠다, 고 생각한 적 있다. 세상에 이렇게 빨리 소원을 들어주실 줄은 몰랐다. 그것도 이토록 휴가같이. 수술이 입원 다음날 늦은 오후여서 하루가 넘는 시간이 있었다. 보고 싶었던 영화를 한번 보고 재탕해서 또 보았다. 이런 호사가! 낮잠을 참고 밤잠을 깊이 잤다. 금식으로 인한 배고픔쯤은 아무 것도 아니었다. 수술시간까지 침대에서 실컷 뒹굴 거렸다.

아기가 흘러나올까봐서도 입원을, 임신 중독으로도 입원을, 제왕절개로도 입원을, 쌍둥이라 장장 3주간 머문 산후조리원에서도 거의 혼자 있었다. 이번 입원도 혼자 했다. 수술하는 동안만 만일의 사고에 대비해-병원 측의 권고로- 잠시만 엄마가 와있기로 했다. 배를 가르고도 혼자 있었는데, 복강경 수술로 담낭하나 떼어내는 것쯤은 얼마든지 혼자 할 수 있다. 하지만 이번 수술도 당연히 나는 수월하게 넘어가지 못했다. 수술은 별 탈 없이 끝났지만 정신이 돌아오는 순간부터 심한 통증을 느꼈다. 진통제가 듣지 않은 탓이었다. 밤새도록 고통으로 괴로워했다. 그렇지. 내가 그렇지. 남들처럼 수월하게 넘어가겠어, 어디.

수술 날짜가 잡히고 불쑥 서러워 울었다. 왜 항상 혼자 하게 하시나요. 군인의 외동딸로 태어나 전국을 떠돌며 홀로 적응해야했고 혼자 살 길을 찾아야했다. 늘 확인되는 사실은 나는 혼자구나, 였다. 아무도 나를 도와주지 않는다, 였다. 어둠에 갇혔을 때 마다 그 사실을 확인했고 별다른 항의도 하지 않았다. 그냥 독하게만 살았다. 그러다보니 죽도록 일했고 죽도록 사랑한 남편과 결혼했고 죽도록 고생해 쌍둥이를 낳았다. 그러나 봐라. 이 문장 하나만 봐도 나는 혼자인 적이 없다.

혼자 사는 삶이 진정 존재하던가. 그것은 내 슬픔에 허우적대어 물 밖을 바라보지 못할 때의 얘기다. 방황하던 사춘기 시절 내 옆을 지켜준 친구 강연아가 있고, 일을 처음 배울 때 사수가 되어주신 전보원 선배님이 계시다. 나와 결혼해준 남편이 있고, 지친 어떤 하루의 한자락 끝에서 작은 위로를 해주는 기억나는 이, 기억에 안남은 이도 있다. 응급실에 간 날도 셋째 이모는 모든 일정을 제치고 우리 집에 급히 와주었고 엄마는 시골에서 먹거리를 잔뜩 싸들고 올라왔으며 남편은 짬을 내어 나를 병원에 데려다주었다. 입원한 날 식판을 들고 방황하는 나를 보고는 어느 보호자가 턱짓으로 방향을 가르쳐주었고 며칠 뒤 무사히 회복한 나는 나처럼 혼자 온 환자의 식판을 받아들어 반납해주었다.

심한 길치인 내가 길을 잃을 때 가던 길을 멈추고 방향을 알려준 적어도 389명의 행인들, 걸핏하면 지퍼를 내리고 다니는 나를 쫓아와 알려준 50명의 여인들, 고작 페이스북에서 친구가 되었을 뿐인데 밥을 사주고 선물을 보내주는 사람들, 다들 나를 돌보아주었다. 그랬다. 혼자라는 건 스스로가 스스로를 절망에 빠지도록 속이는 짓이었다. 나는 절대 자력으로 태어나지 않았으며 혼자의 힘으로 자라지 않았고 누군가로 부터 배웠고 누군가들이 나와 밥을 먹어주고 술을 마셔주었다. 누군가가 나와 사랑을 했고 누군가가 나와 같이 길을 걸었다. 철저히 혼자였다고 느꼈던 순간들도 샅샅이 살펴보면 지나가는 사람들이 있었다. 나는 내 외로움에 중독되어 실은 혼자를 예찬하며 비극의 주인공이 되고 싶었던 것일지도 모르겠다. 그러나 이제는 안다. 나는 늘 혼자가 아니었음을.

나의 오리지널 디자인은
어떤 모습일까?

2008년 종교를 가졌다. 신이 있다면 삶의 이유에 대해 어떤 대답을 들려줄 것 같았다. 당시 꽤 진지하게 종교에 임했는데 신에 대해 생각하다 시선이 나에게로 옮겨갔다. 고통을 겪기 전, 온전한 나는 어떤 모습일까. 신이 만든 오리지널의 나는 어떤 모습일까. 다른 환경을 거쳤더라면 나는 어떤 사람이 되었을까. 고통으로 훼손된 나 말고 진짜 나는 어떤 사람일까. 그런 나를, 나는 짐작이나 할까?

쌍둥이를 임신해 초음파 사진을 찍었을 때 너무 놀랐

다. 둘 중 한 아이의 얼굴이 내 얼굴과 판박이였기 때문이다. 뱃속에서 하는 짓도 나와 닮았다. 딸꾹질을 자주 했고 다리를 가만두질 못했다. 태어나서 걷기 시작하면서는 기어오르기를 좋아하고 기분이 좋으면 깔깔깔 웃었다. 눈치 보지 않았다. 혼자 노는 걸 좋아하고 집중하는 것도 좋아했다. 기질이 나와 비슷했다. 차이가 있다면 훨씬 밝고 잘 웃었다.

아이를 보면서 나의 오리지널 디자인을 본다. 신이 원래 조각했던 나의 모습이다. 물론 온전히 다른 인간임으로 다름이 있겠지만 아이를 통해 고통 받지 않은 나를 본다. 아이가 마음껏 울고 표현할 때 화를 내고 신경질을 낼 때 덩달아 자유로움을 느낀다. 해방된 나를 본다.

신으로부터 분리되고 엄마의 모태로부터 떨어져나가면서 인간의 외로움은 필연이 되었다. 인간이 다른 존재와 온전히 함께 있다고 말 할 수 있는 때는 오직 아이가 엄마와 탯줄로 이어져있을 때뿐이다. 이 온전한 일치는 태어나기 전까지 모두가 경험한다. 탯줄이 잘려 태어남으로써 우리의 첫 경험은 분리가 된다. 다시는 타자와 온전히 하나일 수 없게 된다. 정현종 시인은 이 분리됨의 서러움을 [섬]이라는 시에서 **사람들 사이에 섬이 있다. 그 섬에 가고 싶다**고 단 두 줄로 표현했고 프랑스의 화가 마르셀 뒤샹은 앵프라맹스라는 단어로 명명했다. 사람과 사이에 있어 절대로 뚫을 수 없는 막이라는 뜻이 앵프라맹스다.

그래서 본능의 유전자 속에 우리는 어디론가 회기하고 싶은 욕구가 있다. 무언가 찾고 싶은 열망이 있다. 아무리 애를 써도 그 섬에 갈 수 없어서, 보이지 않는 얇은 막을 뚫을 수가 없어서 생긴 근원적 고독. 고독은 만인의 것이다. 우울증은 병이지만 설명할 수 없는 외로움. 고독함, 쓸쓸함은 그래서 누구나 가지고 있다. 회사에서, 모임에서 사람들과 북적거리다 빈집에 들어왔을 때의 허전함은 모두가 느낀다. 잠시 혼자 있는 시간을 즐길 뿐이지 영원한 혼자를 즐거워할 수 있는 사람은 없다. 그래서 분리됨으로 인한 쓸쓸함은 인생에서 관계로 대체된다. 인간관계에 상처를 받았을 때, 관계가 끊어졌을 때 우리는 태초의 분리를 다시 경험한다. 그래서 괴로워진다. 외로움은 인간의 숙명이다.

나의 외로움은 유아기부터 기억한다. 나를 임신하며 하반신 마비가 된 어머니는 늘 누워 지내야 했고 나는 어머니의 등 돌린 뒷모습을 보며 자랐다. 그럼에도 당시의 모습은 지금과는 달랐다. 부드럽고 순했다. 하도 울지 않아서 옆집에서도 아기가 있는지 몰랐고 꼬마시절에도 유순했다. 시장에서는 아픈 엄마를 대신 해 장을 보는 기특한 아이였다. 그러던 아이가 자라며 환경과 관계의 영향을 받았고 점점 거칠어졌고 억세졌다. 두꺼운 껍질로 무장한 전갈 같은 나는 내 오리지널이 내내 궁금했다. 그러다 아이를 보며 나를 보았다. 아이의 맑은 웃음에서 상처 없는 영혼의 자유분방함을 보았다. 나는 아이를 보며 다짐했다. 회복하고 싶다. 원래의 나로 돌아가고 싶다. 어쩌면 내 평생은 나의 오리지널을 찾는 과정일지도 모르겠다. 손상된 나를 회복시키는 과정이 인생일지도 모르겠다. 오리지널의 나로 좀 더 돌아갈 수 있다면 훨씬 자유로워질 수 있을 것만 같다.

고통낭비 하지 않는다

주말이 김장이었는데, 비가 온다는 예보를 보고 어머니는 김장을 서둘렀다. 친정은 매년 3백포기 정도의 김장을 한다. 내려가서 도우면 좋으련만 아기들 때문에 못가고 사진으로만 보았다. 배추가 한 통에 7kg이란다. 어마어마하다. 땅에 심기만 했는데 저렇게 자라다니.

어머니는 김장을 꼭 날이 추워져야 한다. 11월 말쯤 느지막하게. 우리 집 김치는 그럭저럭 맛있는 편인데 직접 농사를 지어서 그런 이유도 있겠지만 추위로 날이 매워질 때 까지 기다렸다가 배추와 무를 뽑아서 그렇다. 11월 초에 김장을 하면 날이 따듯해서 다들 편할 텐데 꼭 날이 추워질 때 까지 기다린다. 무는 추울 때 수확해야 특히 맛있다. 배보다 달다는 무는 매운 추위를 겪은 결과다.

일본에서 가을무는 며느리 주지 않는다는 말이 있다. 하지만 우리나라의 무에 비하면 단맛과 고소함이 현저히 떨어진다. 일본의 무는 무르고 물이 많아서 샐러드로 많이 먹는다. 우리나라보다 기온이 높은 일본의 채소는 (도쿄에서 겨울에 영상 5도 이하로 내려가면 대단히 추운 날이다) 추위를 견디지 않아 우리나라의 것과 다르다.

지난 여름 무는 아렸다. 제주도에서 올라온 무는 많이 매웠다. 슈퍼에서 직원에게 물으니 다들 맵다한다며 이유를 모르겠다 했다. 지난 여름, 특히 더웠던 여름이 아마도 무를 맵게 했을 것이다. 무의 아린 성질머리는 따듯한 환경에서는 뜯어 고쳐지지 않는다. 차가운 땅에서 고통을 겪어야 한다. 땅이 얼기 전까지 무는 세상 풍파와 고난을 겪어야 평안해진, 달콤해진 상태를 맞는다. 무는 김치가 되기 전엔 모를 것이다. 왜 주인이 제 몸이 얼기 직전까지 고통 받게 하는지. 만일 무가 매운

추위를 겪었는데도 달지 않다면 어떻게 될까. 추위를
견뎠는데도 여전히 아리다면 그 무는 쓸데없는 나날을
겪은 것이다. 무에게도 주인에게도 득이 없는 낭비다.

고통을 어떻게 받아들여야 하는가. 오래 고심했다. 하
지만 쉽게 결론 낼 수 없었다. 그렇다 하더라도 고통 속
의 나는 나름의 명제가 필요했다. 나를 비롯한 수많은
사람들이 끝나지 않는 고통과 새로 시작되는 고통 속에
서 살아간다. 고통에는 반드시 이유가 있어야 한다. 없
다고 믿는다면 견딤이 무의미해진다. 삶이 의미 없어진
다. 그러나 모두가 겪어 알다시피 의미 없는 하루가 없
듯 의미 없는 인생도 없다. 우리 모두는 어제의 고통에
도 불구하고 오늘을 포기하지 않았다. 고통을 겪으면서
도 삶을 움켜쥐고 있다.

고통이 다가왔을 때, 지치는 게 당연하다. 하지만 지
쳐만 있기엔 고생이 너무 아깝다. 고통만 겪고 결과가
없다면 고통을 겪을 이유가 없다. 고통은 피할 수도 막
을 수도 없다. 피하지 못할 바에 즐겨라 같은 말이 아니
라 피하지 못해서 겪어야만 한다면 교훈이라도 찾고 싶
다는 뜻이다. 이치나 섭리, 거창한 깨달음까지는 아니

더라도 좀 더 나아지는 나를 만드는 계기로 삼고 싶다. 맵고 아린 나를 보드랍고 달큰한 사람으로 바꾸는데 쓰고 싶다. 그런 의미에서 고통은 나에게 세상에서 가장 비싼 쇼핑이다. 성숙의 비용을 고통으로 지불해 과거와는 다른 나를 고르는 가장 비싼 쇼핑. 기왕 겪을 고통이라면 뜻있는 의미가 있다 믿고 싶다.

고통의 목적은 선명하지 않다. 그 의미는 보통 한참이 지난 후에야 깨닫게 된다. 누구는 고통을 어긋남의 도구로 쓰고 또 누구는 상처만으로 간직한다. 어떤 이는 훈련의 교재로 사용하고 또 어떤 이는 깨달음의 근거로 삼는다. 사람마다 고통을 받아들이는 방식도, 의미를 부여하는 방식도 다르다. 고통이 왜 오는지, 내게 오는 고통은 왜 달라 보이는지 나는 모른다. 다만 내가 아는 것은 너무 뻔한 말일지라도 선택은 나의 몫이라는 것뿐이다.

고통의 이유를 지금은 모를지라도 의미를 찾을 수 있는 날은 반드시 온다. 그 깨달음이 찾아오는 날 삶은 달라질 것이다. 삶이 달라진 그날 오늘을 돌아보며 고통의 이유를 말할 수 있게 될 것이다. 견딘 내가 대견해질 것이다. 그러면 그날 고통은 나름의 역할을 다하게 된다. 의미가 생기면 버팀은 헛짓이 아니게 된다. 고통의 이유를 깨닫는다면 삶의 모호함이 끝나고 목표와 확신을 갖는데 뜨거운 동력이 될 것이다. 그래서 우리 모두는 지금 고통을 연료로 내일로 나아가고 있다. 더 나은 내가 되기 위해 오늘도 버틴다. 참 잘.

나도 자라고 싶다

아기들은 어느 순간 자란다. 뒤집지 못하던 애가 갑자기 뒤집고, 끙끙대며 뒤집고 나면 언제 못 했냐는 듯 휘딱휘딱 뒤집는다. 쌍둥이는 어느 순간 서로를 인식하더니 갑자기 같이 놀기 시작했다. 밤새 나를 잠 못 자게 하더니 어느 순간 통잠을 자기 시작했다. 성장은 이렇다. '어느 순간 갑작스럽게'가 성장의 특징이다.

글이 안 늘어 시기와 질투로 고통 받던 시절, 어느 원고를 쓰는데 갑자기 쑤욱- 잘 써진 적이 있었다. 선명하게 기억하기로는 두 번의 원고가 그랬다. 방송 뒤 모두에게 칭찬을 들었다. 벅차게 기뻤다. 작가로 가장 기쁜 순간이 이번 글 좋더라, 여서 글 좋다는 말을 들으면 다음번엔 더 공을 들여 썼다. 열 줄도 안 되는 프롤로그를 쓰는데 최소한 반나절은 걸렸다.

영화도 보다보면 저 감독 드디어 통하였구나, 싶게 느껴질 때가 있고 음악도 디자인도 건축도 패션도 실력을 요구하는 모든 방면이 그럴 때가 있다. 모두가 인정하는 통달에 이르게 된 걸 볼 때, 그럴 땐 퍽 시기에 빠져버리는 것이다. 2009년 아바타가 개봉했을 때 상당수의 소설가, 피디, 작가들이 절망했다. 이제 끝이구나. 우리는 끝장났구나. 저 무시무시한 콘텐츠를 이길 방법이 없구나.

성공은 모두가 원하는 본능적 욕망이다. 거침없이 드러내거나 혹은 억누른 채 살아가는 차이가 있을 뿐이다. 성공 안에는 다양한 장르가 포함된다. 사회적 성취뿐 아니라 개인적 실력, 출산, 자동차, 아파트, 결혼 등등. 인생에서 벌어지는 모든 일을 총망라한다.

그런데 성장은 다르다. 성장엔 성공이 포함되지 않을 수 있다. 인성의 발전, 생각의 깊이, 연마하는 어떤 실력

등 남들이 알아주지 않는 무형(無刑)이 성장에는 포함돼 있다. 반면 둘의 공통점이 하나 있는데 발전하는 모양새다. 나아짐은 꾸준하거나 끊임없이 이뤄지지 않는다. 참고 견디다 보면 어느 순간 갑자기 성큼 올라서있다. 가로가 아주 긴 계단처럼.

때로는 하루가 걸리고 때로는 십 년을 걸어야 한 계단을 올라간다. 글을 쓰기 시작한지 23년, 좀 나아졌구나 하는 만족은 딱 세 번 느껴봤다. 그마저도 두 번은 앞서 언급한 원고에 대한 칭찬이고 나머지 하나는 고통을 겪은 뒤다. 그래서 노력이란 가로등 없는, 빛 안 드는 평지를 묵묵히 걷는 것과 같다. 언제 오를 수 있을지 모르는 계단 하나가 나타나길 간절히 바라며, 그 계단을 오르는지도 모르면서 오르고 나서야 아 드디어 올라섰구나, 알 수 있는 이 안개 속 계단을 찾는 괴로운 여정이 성장이다.

하지만 또 비참한 것이 계단을 하나 올랐다고 늑장을 부리면 자기도 모르게 계단을 다시 내려가게 된다는 것. 현상유지라도 하려면 최소 제자리걸음이라도 하고 있어야 한다. 당신 뭐 그런 바보 같은 짓을 하고 있소,

라고 비아냥거림을 들어도 한 일자(一)를 천번 만번은 써야 한다. 획이 몸에 베개 해야 한다.

　나이가 들며 노력하기가 귀찮아진다. 배우는 것도 사귀는 것도 쇼핑하는 것도 놀러가는 것도 점점 귀찮아진다. 아마 쌍둥이 육아로 인한 피곤 때문일지 모르겠지만 많은 사람들이 그러지 않을까 싶다. 20대에 배우고 싶은 수상스키에 대한 열망은 60대에 배우고 싶은 게이트볼과 아마도 모양이 다를 것이다. 나이든 자의 열심을 비하하는 것이 아니다. 청춘의 열정을 말하는 거다.

　인간은 나이들 수록 성숙해져야한다. 경험총량의 법칙에 따르면 그렇다. 그러나 우리는 늙을수록 토라지고 서운해 한다. 용서하기엔 분노가 너무나 단단해져버렸고 사랑하기엔 너무나 다른 길을 걸어왔다. 그래도 딱딱해지지 않으려면, 보드라운 마음으로 여전히 감동하며 살아가려면 죽도록 노력해야 한다. 고집쟁이 나와 싸워야 한다. 성공이 세상과의 경쟁이라면 성장이야말로 자기와의 싸움이다.

　아이엄마들이 하는 말이 있다. 육아는 최악의 나를 보여준다는. 오늘 나는 체력이 두 번 방전되어, 한번은 남편에게 짜증을 한번은 우울을 느꼈다. 마음속에 무언가 올라올 때 마다 나는 어떤 인간인가, 가 떠오른다. 너는 여기서 화를 내는 인간인가 너는 여기서 웃고 넘기는 인간인가 너는 여기서 스스로를 달래고 다시 갈 길을 가는 인간인가.

계단 하나 오르기가 너무 어렵다. 내가 바라는 것은 보이지 않는 것들이어서 실상이 없다. 증거가 없어서 성장했다는 확인이 어렵다. 그런데 자꾸만 확인하고 싶어진다. 나 좀 나아졌지. 그래도 이 나이 먹고 10년 전보단 20년 전보단 그래도 나아졌지, 우리 아이들에게 상처주지 않는 부모가 될 수 있는 거지, 나 정말 성장하고 있는 거지, 확인하고 싶어진다. 아이들의 얼굴을 볼 때마다, 아이가 커서 내가 어떤 인간인지 꿰뚫어보기 전에 내가 먼저 더 자라고 싶어진다. 아이보다 미성숙한 부모가 세상엔 너무나 많기에 아이보다 내가 더 자라길 원한다. 그러나 인간은, 특히 게으른 나는 아직도 참는 게 서툴고 지혜로운 말을 하지 못한다.

지금도 어두운 평지에 있다. 언제 나타날지 모르는 계단을 향해 걷고 있다. 그래도 들숨과 날숨이 세상에 조금이라도 보탬이 되는 인간이 되기 위해 뛰지는 못해도 걷기라도 하는 중이다(라고 믿고 싶다). 그러다보면 쌍둥이들처럼 기어 다니다가 어느 순간 턱하니 걷겠지. 성공은 못해도 성장은 한 그럴 날이 오겠지. 내게도 언젠가.

행복은 이성으로 판단한다

    몇 년을 우울씨와 함께 살았는지 모르겠다. 우울증이 한창 깊어 시간과 장소를 구분하기 어려웠던 시기 우울씨와의 괜찮은 동거를 위해 스스로 얼마나 행복한지 종종 체크했다. 행복을 매뉴얼로 만들어 스스로 자가진단 해보는 거다. 체크리스트에 반수이상 그렇다는 답이 나오면 나는 지금 매우 상당히 행복한 상태라고 판단을 내렸다. 리스트는 어렵지 않다.

    1. 나는 지금 스스로 움직일 수 있는가

2. 남편은 아무 사고 없이 무사히 집에 귀가했는가

3. 모나가 아프지 않고 건강한가

4. 먹고 사는 데 드는 최소한의 돈이 있는가

5. 몸을 쉬게 할 따듯한 방바닥이 있는가

6. 남편과의 관계가 원만한가

7. 좋아하는 음식을 먹었는가

8. 듣고 싶은 음악을 들었거나 보고 싶은 영화를 보았는가

9. 날이 따듯하거나 맑은가

10. 따듯하게 지내고 있는가

　행복할 때 혹은 우울할 때 행복리스트를 체크하며 되도록 이성으로 행복을 판단하려 한다. 행복과 행복감은 다르다. 행복감은 기분이다. 행복은 상태여서 의지가 반영된다. 스스로를 행복한 상태라고 인지하면 마음도 이내 편해진다. 몸이 많이 낫고 아이들이 있는 지금은 항목이 조금 더 늘었다. 아이가 살아있는가. 아이가 크게 아프지 않았는가, 가 추가되었다.

　움직일 수 있는 지금은 이 외에도 소소한 항목들이

추가 되었다. 따듯한 방에 지금 누워있는가. 지난밤에 잠을 잘 잤는가. 좋아하는 유튜브 채널을 보고 있는가. 좋아하는 드라마의 새 시즌을 보고 있는가. 좋아하는 향의 바디 워시로 샤워를 했는가. 같은 소소한 영역이다. 소소한 항목이 늘어날수록 더 자주 행복감을 느낀다. 어제 아침 이른 시간, 스타벅스에 앉아 재즈를 들으며 좋아하는 클래식 스콘을 먹었다. 그동안 우리 동네 스타벅스에는 클래식 스콘이 들어오지 않았는데 어제가 보니 턱하니 진열돼 나를 기다리고 있었다. 이보다 행복할 수가 없었다. 커피 한 모금에 스콘이 녹을 때 마다 창밖을 보며 행복하다고 나지막이 읊조렸다.

일 년 중 마음이 짜릿짜릿 할 때가 있다. 맛있게 음식이 되었을 때. 취향 저격인 음악을 찾았을 때. 좋아하는 색깔의 색연필로 메모를 할 때. 모나와 봄바람을 맞으며 산책을 할 때 등등이다. 글을 쓰는 오늘 밤도 그렇다. 아이들이 잠들었고 나는 잠시 외출해 더 채리엇에서 사마랑스를 홀짝이고 있다. 더 채리엇을 발견했을 때 어찌나 기뻤던지. 집에서 글을 쓸 때 사용하는 도서관 램프가 바에도 있는 걸 보고, 새벽까지 문을 여는 걸 보고 아 글 쓰라고 만들어주신 공간이구나, 감격했다. 악마는 디테일에 있다는 말이 있지만 행복도 디테일에 있다. 지금 나는 나무로 지어진 바의 은은한 향기를 맡고 있고 헐렁한 남편의 티셔츠가 따듯하고 편하다. 두 시간의 글을 쓰고 집에 돌아가면 남편과 오징어를 구워 마요네즈에 찍어먹기로 한 일정도 남아있다. 글을 얼추 썼으니 조금 여유를 가지고 오늘 밤은 아마 드라마도 한편을 보고 잘 수 있을 듯하다.

아 드라마! 최근에 드라마를 볼 수 있게 되었다. 집중력 장애가 심해지며 글을 읽거나 텔레비전을 보며 내용을 따라가는 데 상당한 문제가 생겼다. 한국으로 돌아오기 전, 2017년 겨울 도쿄에서 일본어 어학원을 잠시 다녔는데 하루 종일 공부해도 한자 열 개를 외우지 못했다. 이 글을 쓰기 시작한 때만 해도 내가 무슨 글을 썼는지 기억을 못해 프린트를 해놓고 읽으며 글을 썼다. 물론 지금도 크게 좋아지지는 않았다. 집에 돌아가면 다시 원고를 프린트해서 목차를 보고 문장을 다시 읽어야 한다. 그렇지만 한 달 전만해도 10분도 보기도 어려웠던 드라마를 요즘에는 한편을 다 본다. 뒤늦게 [재벌

집 막내아들] 1화를 보는데 집중이 안돼서 처음에는 4일이 걸렸다. 그러다 이 책을 쓰는 사이 한 편을 다 볼 수 있게 되었다. 사람들이 드라마 이야기를 할 때 나는 기억력 장애가 있어서 드라마를 보지 못한다고 말할 수 없다. 지인들이 책을 출간했다며 싸인본을 건네주어도 마찬가지다. 상대를 실망시킬까봐 활자를 읽기 어렵다고 고백하지 못한다. 그러던 내가 드라마를 본다. 두 시간짜리 영화나 책은 아직 어렵지만 나아짐만으로도 충분히 기쁘고 행복하다.

종종 우울감이 찾아올 때가 여전히 있다. 그럴 때는 우주를 떠올린다. 유튜브에서 우주 다큐를 찾아본다. 인간이 상상할 수 없을 만큼의 거대한 우주를 상상한다. 우주의 크기를 생각하면 마음이 평안해진다. 우리는 별로 만들어졌고 별의 후손이다. 나는 빛나는 별이다. 창백한 푸른 별처럼 나라는 별은 먼지만큼 작아지고 오직 우주의 위대함만이 남는다. 그 순간 신만이 유일하게 내 안에 존재한다. 나는 가고 신만 남는다. 신은 감격으로 다가올 때 나를 왜소하게 하고 그 왜소함은 나를 소박하게 만든다. 그래서 우주가 좋고 경건이 좋고 감격과 겸손이 좋다. 별 거 아닌 묵상이 내 마음을 안정시킨다. 내 문제는 사라지고 위대함만 남는다. 위대함은 우울과 어울리지 않다. 나는 위대한 별의 후손이다.

한국에서의 우울증 치료

어려서부터 스트레스를 받으면 머릿속이 부예지는 브레인포그 현상이 있었다. 잠을 무한정 많이 자는 증상도 있었다. 대학생 시절 우울증에 대한 인식 없이 정신과 몇 군데를 찾아갔다. 스트레스를 받으면 졸리니 적합한 과는 정신과라고 여겼다. 하지만 1990년대의 정신과 방문은 별 소득이 없었다. 내 증상을 듣고는 그렇군요, 어디 한 번 태반주사를 맞아보시겠습니까? 같은 호객행위만 당했다. 2003년에야 신촌오거리의 정신과에서 우울증 진단을 꼼꼼히 받았다. 질문이 수백 가지는 되는 우울증 검사지였다. 유년의 기억에 대해서도 진지하게 상담했다. 당시는 중증이 아니었기에 복용 약물의 수는 적었고, 앞서 말한대로 일이 너무 바빠 치료를 그만두었다. 오래된 시간이라 자세한 기억으로 남아 있지 않아 서술할 수 없어 아쉽다.

어려서부터 정신과를 찾는 데에 거부감이 없었다. 누군가 내 이야기를 들어주면 삶이 나아질 것이라 기대했기 때문이다. 게다가 방송작가가 되면서 [생로병사의 비밀]이나 [영상기록 병원24시]를 6년간 제작하며 아프면 병원에 가는 간다는 인식이 자연스럽게 잡혔다. 신경전달물질에 문제가 있으니 감기약이나 혈압약처럼 약을 복용하면 될 뿐이었다.

한국으로 돌아와 2019년 병원을 찾을 때엔 꽤 고심을 했다. 대학병원으로 갈까 집에서 가까운 곳으로 갈까 어디로 가야하나 머리가 복잡했다. 네이버에 정신과를 검색하면 너무나 많은 병원이 검색되었다. 그러다 우울증 권위자인 채정호 교수님이 생각났다. 오래 전 [파워인터뷰]라는 프로그램을 제작할 때 패널로 만난 분이다. 교수님께 연락을 해 추천을 받았다. 삼성역에 위치

한 정신과병원은 차분했고 조용했고 친절했다. 중증 우울증이라는 진단은 이곳에서 받았는데 진단 결과를 전해줄 때에도 퍽 조심스러웠다. 보호자를 동석시켜 상황을 더 자세히 파악하는 의도도 인상 깊었다. 따뜻한 말투와 사려 깊은 반응에 1년 넘게 삼성역의 병원을 다녔다. 맨살을 여러 번 비비면 건강한 피부도 상하니 생각을 멈추고 주의를 분산시키라는 현실적인 조언도 이곳에서 들었다. 생각을 분산시키기 위한 전문 세션도 있었다. 비용이 싸진 않지만 한번 쯤 들을 만 했다. 응용하기 쉬운 방법은 눈을 감고 눈동자를 좌우로 움직이며 눈동자에 온 신경을 집중하는 등이었다. 손끝부터 발끝까지 온몸을 차례대로 느끼는 방법도 있다. 그러다 섬유근통증을 앓고 있고 시험관시술을 받고 있는 내 형편에 맞게 협진이 가능한 대형병원으로 옮겼다.

[생로병사의 비밀]을 제작하던 버릇이 남아 병원을 고를 때 신중해진다. 텔레비전에 많이 나온 의료진이 아닌 논문을 많이 낸 의료진을 찾는다. 권위자를 검색해서 의사 이름을 알아낸 뒤 발표한 논문이 있는지 다

시 검색한다. 연구를 많이 할수록 최신의학정보에 밝기 때문에 신뢰가 간다고 할까. 전문병원도 물론 괜찮은 선택이다. 그래서 옮긴 대형병원은 의외로 실망스러웠다. 환자가 너무 많아 진료시간이 짧은데다 나를 기억하지 못했다. 다시 출산을 할 여성병원에 있는 정신과로 옮겼다. 시험관과 동반해 같은 병원에서 치료를 받는 게 좋겠다는 판단이었지만 외려 반대였다. 환자가 없는 데도 성의 있다는 느낌을 받지 못했다.

임신 기간 중에도 복용할 수 있는 약물이 있다. 딱히 약물에 대한 거부감이 있어 치료를 멈추지는 않았다. 다만 임신 기간 내에 어쩐 일인지 우울감이 사라지고 불편함이 없었기에, 게다가 누워서만 지내야 해서 병원을 갈 수 없어 끊었을 뿐이다. 그러다 출산을 하고 집에 돌아오는 날, 그날부터 잠도 자지 못하고 밥도 먹지 못하면서 다시 병원을 찾았다. 삼성역은 너무 멀었다. 우는 쌍둥이를 두고 그렇게 오래 자리를 비울 수는 없으니 집에서 가까워야했다. 마침 2003년에 다녔던 신촌오거리의 병원이 지금 사는 곳에서 멀지 않다는게 떠올랐다. 검색해서 병원명이 나왔을 때 어찌나 기뻤던지. 이

날도 택시를 타고 냅다 달려갔다. 다시 제대로 된 치료를 받기 시작했다.

2003년에 찾았던 기억으로는 병원이 엄청 넓고 높았는데 다시 가보니 아담한 곳이었다. 의사는 16년 전 잠시 치료받았던 나를 기억해주었다. 아버지가 군인이시라고 했죠? 무뚝뚝한 선생님의 자상한 면도 감동이었다. 수많은 환자가 들락거렸을 텐데 나를 기억해주다니. 알고 보니 신촌오거리의 병원은 삼성역 병원의 선생님과도, 또 채정호 교수님과도 다 아는 사이였다. 삼성역 병원의 선생님이 알은 체를 하지 말라고 해서 별말은 하지 않았지만 혼자만의 내적친밀감이 쌓였다. 그래서 지금껏 신촌오거리의 병원을 다니고 있다. 무뚝뚝한 의사가 사무적으로 질문하는 태도도 마음에 든다. 적당한 거리감이 내 병증을 별 것 아닌 것 같이 설명할 수 있게 해준다. 예약도 필요 없어 동네 내과 같은 느낌도 좋다. 한 달에 한 번 병원을 방문하는 일이 번거롭거나 부끄럽지 않다. 잘 치료받고 있고 더 나아질 거라 믿는다. 때때로 침체기가 있겠지만 그것이 인생 아니겠는가.

우울씨에게 문장으로 맞받아친다

　우울씨는 비난쟁이에 수다쟁이다. 끊임없이 과거를 떠올리게 해 불평하게 만든다. 우울씨와 절친했던 과거, 당시는 우울씨의 말이 상당히 설득력 있어서 생각, 사유, 고민 같은 거라고 여겼다. 지금은 아니다. 지금은 우울씨의 말을 듣지 않는다. 우울씨는 극단적이고 편협하다.

　오늘 아침 쌍둥이를 돌보다 한 아이가 모나의 똥을 만져 남편이 화가 났다. 남편은 내게 조금 화를 냈는데 나는 딱히 맞받아치지 않았다. 우울씨는 슬그머니 우리 부부 사이에 끼어들었다. 나에게 화를 내라고 했다. "니가 억울한 상황이잖아. 한 마디 하라고!" 나는 "듣기 싫어!"라고 우울씨에게 말하곤 그의 입을 막아버렸다. 무엇보다도 내 마음의 평안이 싸움보다 중요했다.

아이를 낳으며 남편이 한 말이 있다. 우리의 스트레스로 인해 아이들이 영향 받지 않아야 한다, 였다. 내가 누군가로 인해 스트레스를 받더라도 우리는 이제 부모니까 그 스트레스가 아이에게 영향을 끼쳐서는 안 된다고, 그래야 부모이자 어른이라고 말했다. 이 말을 듣고 아 그렇구나! 무릎을 쳤다. 우울씨에게 내가 휘둘리지 않으면 되는 구나. 우울씨로부터 내 삶을 지키는 방법을 드디어 찾았다!

우울씨로부터 어떻게 영향을 받지 않을 수 있을까. 그는 시시때때로 내 머릿속을 헤집어 놓는데 어떻게 맞받아쳐야 할까. 그래서 문장을 만들었다. 우울씨가 뭐라 하면 받아치는 대답이다.

가장 좋아하는 말은 "우울씨, 그건 니 생각이고"다. 우울씨가 입을 벌릴라치면 바로 받아친다. 또 있다. 우울씨가 내 미래가 암울할 거라고 헛소리를 해대면 "과거와 현재를 후회할지라도 미래는 네 손에 있지 않아"
라고 대답해 준다. 자책감을 몰고 올 때도 있다. 부끄러
운 과거가 떠올라 후회와 죄책감으로 괴로워할 때 그럴
땐 반성할 부분은 반성한다. 그러지 말아야지. 스스로
다짐하고 우울씨에게는 "과거는 힘이 없다!" 라고 쏘아
붙인다.

　우울씨와 동거하는 이들, 그리고 우울씨와 동거하지
않는 이들도 모두 과거의 영향력 아래 있다. 내가 해서
는 안 됐던 말, 하지 말았어야 할 행동들, 거기에 상대
의 무시와 비난까지 곱씹어 생각한다. 이렇게 받아쳐줄
걸. 그렇게 하지 말걸……. 가상의 시나리오를 쓴다. 사
람은 보통 내게 잘 해준 사람보다는 상처 준 사람을 기
억하기 마련이다. 더 나쁜 건 과거의 내 못난 모습만 골
라 보면서 스스로를 한심하게 여기는 거다. 한심하면
다행이다. 나를 가장 혐오하는 사람은 이 세상에서 나
자신이다.　스스로에게 가장 엄격하고 용서하지 않는
나 자신. 사실은 다르다. 우리는 스스로의 생각보다 훨
씬 좋은 사람이다.

　성찰은 유익하지만 정죄는 쓸모없다. 내게 힘을 준 여

러 말 중에 "과거는 힘이 없다"는 특히 사랑하는 말이다. 내가 앞으로 나아갈 수 있게 도와주었고 용서에까지 이르게 했다. "과거는 힘이 없다"는 상대를 용서하고 나를 덜 혐오할 수 있게 해준다. 나는 우울씨와 싸우고 있다. 거창한 전쟁터가 아니라 삶의 사소한 영역에서.

생각을 바꾸는 방법은 또 있다. 마음은 생각과 같이함으로 생각은 문장으로 만들 수 있다. 예를 들어 육아 중에 귀한 시간이 나서 카페에 잠시 앉았다. 내가 기대하던 맛은 어디로 가고 맛없는 커피가 나왔다. 아, 그 커피 즐기고 싶었는데. 하며 실망한다. 역시 나는 맛있는 커피 한잔의 여유를 즐길 수도 없구나, 처량해진다. 그럼 이 상황을 문장으로 만든다. "흔치 않은 기회로 카페에서 여유를 찾으러 나왔는데 커피가 맛이 없다" 여기에 다른 이야기를 덧붙이지 않는다. 다만 문장의 순서를 바꾼다. "커피가 맛이 없지만 혼자만의 시간이라는 흔치 않는 기회를 가졌다."로.

가끔 화가 날 때 써먹는 문장이 또 있다. "감사하게도"다. 속으로 중얼거린다. "남편이 또 약을 먹고 봉지를 여기다 뒀네." 에서 "감사하게도"를 붙이면 "감사하게도 남편이 약을 챙겨먹었네"로 바뀐다.

보통 이런 류의 책에서 이래라 저래라 말이 많다. 그 많은 내용을 다 기억할 필요 없다. 그 중에 딱 하나 꽂히는 걸 고른다. 그리고 매달린다. 나는 주로 "과거는 힘이 없다"와 "지금 나는 행복한가"를 써먹다가 요즘에는 "시끄러. 입 닥쳐"를 쓴다. 문장만으로도 우울씨에게 카운터펀치가 된다. 오늘 우울씨에게 할 말이 또 생겼다. "감사하게도 우울씨 덕에 고통을 알게 되었어요. 그래서 이 책을 쓸 수 있었죠. 또 입을 나불거리면 두 번째 책도 쓸 수 있겠네요. 상큐"

마음의 평량은 얼마입니까?

평량. 종이 한 장의 무게.

지금은 찾기 어려워졌지만 평량이 적은 종이를 좋아한다. 인쇄를 하면 뒷장에 희미하게 비치는 정도의 얇은 종이다. 일을 하며 어마어마한 자료를 들고 다녔다. 스물여섯 살에 고장 난 어깨는 20년이 지난 지금까지도 말썽이다. 더 가벼운 종이를 들고 다녔더라면 어깨가 지금보다는 덜 아플 텐데.

평량, 몇 년 전 인쇄용지로 얇은 종이를 찾다가 평량이라는 단어에 대해 알게 되었다. 사전에 기록된 뜻은 일정면적의 종이의 중량, $1m^2$면적의 종이의 중량을 g으로 나타낸 것을 미터평량, 1자2(30.3cm×30.3cm) 면적의 종이의 중량을 척(尺)평량이라 하는데, 간단히 평량이라 하면 미터평량을 의미한다.

생각해보면 재미있다. 같은 면적인데 어떤 종이는 70g이고 어떤 종이는 150g이다. 한 장에 담을 수 있는 내용은 같은데 종이의 무게만 차이가 난다. 사람에게도 평량이 있다. 누구는 펄프만 넣은 가벼운 재질의 종이일 수 있고 누구는 돌가루를 넣은 무거운 종이일 수도 있다. 마음의 무게, 고통의 무게, 삶의 굴곡은 저마다 다르기에.

종이 한 장이 담을 수 있는 무게는 한정돼 있다. 내 평량은 너무 무겁다. 때문에 타인에게 나눠줄 평량이 적다. 요즘은 나의 아이와 남편, 부모님과 친구에게 하루하루를 드린다. 그러다 평량에 여유가 생긴 날에는 지인들에게 카톡 한번, 전화 통화 한번을 한다. 더 좋아지면 만남 한번을 갖는다. 요즘은 평량이 꽤 늘어난 편이다. 일주일에 약속 하나를 잡기로 정해서 한 달 치 약속이 잡혀있다. 일주일에 한번은 요새 너끈히 가능하다.

조금 더 여유가 생긴다면 일주일에 두 번의 만남도 가능해지겠지. 서두르지 않는다. 조바심 내지 않는다.

오늘 내 마음의 평량은 독자 당신이다. 당신이 우울증을 앓으면서도 지독한 우울감과 싸우면서도 스스로를 대견해했으면 좋겠다. 이렇게 열심히 산 사람은 없다고, 내 마음의 무게를 인정해주었으면 좋겠다. 오늘 당신 마음의 평량이 120g이라 아무 일도 하지 못했더라도 자책하지 말기를 바란다. 나의 최선이 무의미해지지 않게 스스로를 격려해주기를 바란다. 나의 최선과 다른 사람들의 최선은 다르다. 나도 내 평량을 꽉 채워 하루하루 버티며 살아가고 있다. 당신의 평량이 나와 다르다 해서 그것이 더 멋지거나 훌륭하다는 뜻은 아니다. 평량의 무게가 아니라 어떤 의미를 채웠는지가 중요하다.

부디 이 책이 어느 한 줄만이라도 쓰임이 있기를 간절히 기도한다. 우리는 이미 깊은 사이가 되었다. 당신은 나의 인생에 대해 알고 있고 나의 약한 모습 또한 다보았다. 나의 솔직한 고백이 단 한 사람에게 만에게라도 생명력을 가져다주기를 간절히 또 간절히 기도한다.

[나오며]

　책을 퇴고하는 일은 지난하다. 오타는 고쳐도 고쳐도 개미같이 나오고 비문은 수정을 아무리 해도 이상해 보인다. 어젯밤 쌍둥이를 재우고 제비다방으로 노트북을 들고 나갔다. 어두컴컴한 바에 앉아 글을 수정하는데 좋아하는 코냑을 시켜두고도 일이 버거웠다. 아파서 술을 끊은 지 한참인데 요즘 홀짝이는 코냑에 맛이 들렸다. 꼭 초콜릿을 술로 만들면 이런 맛일까. 향기부터 기분 좋아지게 만든다. 하지만 코냑도 소용이 없었다. 아침부터 종일 퇴고에 묶여있었기에 밤 11시가 되자 에너지가 다 떨어졌다.

　남편에게 카톡을 보냈다. 너무 피곤해. 그치만 거의 다 했으니 12시까지 힘내서 끝내볼게. 남편이 대답했다. 피곤하다고 느끼면 이미 늦은 거야. 집에 돌아와. 남편의 말을 듣고 '갈증을 느끼면 이미 몸은 탈수를 겪고 있다', 라는 언젠가 읽었던 건강 정보 기사의 제목이 떠올랐다. 무언가를 느끼면 이미 상태가 진행된 거구나. 나만 그걸 모르고 있는 거구나.

사랑에 빠지고 있음을 잘 모를 때가 있다. 옆 사람에게 너 저 사람 되게 좋아하나보다, 라는 말을 듣고 깨닫기도 한다. 증오도 마찬가지다. 너 저 사람 엄청 싫어하는구나, 라는 말을 듣고 나의 혐오를 비로소 발견할 때가 있다. 고통도 마찬가지다. 지나고 보면 아 내가 그때 참 힘들었구나, 느껴질 때가 있다. 한창 내면에서 무언가 진행되고 있는데 주체는 모르고 있을 때가 왕왕 있다.

하물며 나 자신도 이런데 타자에 대해선 더하면 더했지 덜 하지는 않을 것이다. 지금은 한창 겨울, 추위가 가장 매운 연말연시다. 가로수는 불쌍하게 잘린 가지만 하늘로 뻗쳐놓고 초록의 기운은 어디에도 없다. 그러나 곧 2월이 되고 3월이 되면 매화가 피는 때가 온다. 봄이 온다.

봄은 겨울 속에 있음을 알면서도 삶이 바빠 생각하지 못한다. 저 죽어버린 것 같이 보이는 마른 가지 안에 물이 흐르고 있고 생명이 있다. 얼마 안 돼 새싹을 틔우고 꽃망울이 터질 것이다. 꽃이 필 것이다.

지금 내가 어떤 터널에 들어와 있는지는 모른다. 빠져나간 뒤에 내 터널을 보게 될 것이다. 그러나 지금 터널 안에는 한 잔의 커피가 있고 방바닥 따뜻한 집이 있고 나를 염려해주는 가족과 친구가 있다. 터널 안도 그럭저럭 지낼 만하다. 중요한 점은 터널에 끝이 있음이다. 설사 터널에 나왔다고 믿었을 때 또 다른 터널에 들어가 있어도 터널 하나는 지나왔다고 스스로를 격려해줘야 한다.

우리는 살면서 얼마나 많은 터널을 내 의지와 무관하게 들어가는가. 터널 안에 들어가면 눈이 어두워지지만 곧 어둠에 눈이 익숙해지면 그 안에서도 빛이 보인다. 희미한 터널의 끝도 보인다. 그래서 터벅터벅 걷는다. 오늘 하루의 걸음이 헛되지 않다. 오늘 하루만큼 나는 걸었다. 내일도 걷는다. 터널 밖에서 나를 맞아줄 봄을 기다리며.

사랑하는데 외로워

초판 1쇄 발행 2023년 4월 21일

지은이 | 지현주
펴낸이 | 한석준
편집 | 한석준
디자인 | Design co*kkiri
관리 | 한석준

펴낸곳 비단숲
주소 | 서울특별시 중구 동호로 195-15, 110빌딩 4층
전화 | 070-4156-0050
팩스 | 02-333-1038
등록 | 제2016-000288호

ISBN 979-11-92357-12-6 13800
Copyright 지현주, 2023